AIエンジニアになるには

丸山恵 著

なるにはBOOKS 155

ぺりかん社

はじめに

この本を手にとっていただき、ありがとうございます。AIエンジニアをめざしている方、逆にAIエンジニアという職業をはじめて知った方、ただAIという言葉が気になった方、いろいろなきっかけで本書を読んでくださっているのだと思います。きっかけは何であれ、AIを含《ふく》めた情報技術の分野に興味をもっているということは、方向性としてとてもいいのではないかと思います。

AI、ビッグデータ、IoTといった言葉が、今の時代のキーワードのように使われ、これらを活用するために社会の仕組みも変わりつつあるからです。これまでは単独で機能していたさまざまなモノやコトがつながり、新しい価値やイノベーションを生み出し、どんどん進化しています。AIはそれらをつなげる主役的存在です。それを扱《あつか》うAIエンジニアが今、世界中で求められているのも納得できますよね。

でもAIエンジニアって専門的で何だか難しそう……。そんなふうに思われている方もいるかもしれません。確かに専門的な知識やスキルは必要なのですが、少し視点を変えてみると、AIエンジニアって子育て中のお母さんみたいだなと思います。お母さんは子どもにいろいろなことを教えて、自分で考えて行動できるようになってほしいとがんばります。ＡＩエンジニアも、ＡＩにいいデータを与《あた》えて優秀《ゆうしゅう》なＡＩに育てようとがんばります。

でも、いつもうまくいくわけではありません。お母さんも完璧《かんぺき》ではないので、子どもは親の悪いクセをすぐにまねするし、外に出れば悪いことも覚えてきます。ＡＩもそう。悪いデータを学習させたら思うように育ってくれないから、あの手この手を打って、少しでもいいＡＩになるように試行錯誤《さくご》をくり返す、それがＡＩエンジニアです。人間味があふれていませんか？

いったいＡＩエンジニアってどんな人たちなんだろう、と知りたくなった方は、ぜひページを読み進めてください。この本では、６名のＡＩエンジニア・ＡＩ研究者に登場していただき、それぞれのリアルな仕事内容、人柄《ひとがら》、生い立ちにも迫《せま》ります。ＡＩという新しいテクノロジーを扱《あつか》う仕事って、クリエーティブで、チャレンジングで、ワクワクであふれている！　――彼らの仕事現場をこの目で見て感じた高揚感《こうようかん》を、みなさんにも味わっていただけたらうれしいです。

丸山　恵

AIエンジニアになるには　目次

【3章】

なるにはコース

※本書に登場する方々の所属、年齢などは取材時のものです。

［装丁］図工室　［カバーイラスト］和田治男　［本文イラスト］渡部淳士　［本文写真］編集部

「なるにはBOOKS」を手に取ってくれたあなたへ

「働く」って、どういうことでしょうか?

「毎日、会社に行くこと」「お金を稼《かせ》ぐこと」「生活のために我慢《がまん》すること」。

どれも正解です。でも、それだけでしょうか? 「なるにはBOOKS」は、みなさんに「働く」ことの魅力《みりょく》を伝えるために1971年から刊行している職業紹介《しょうかい》ガイドブックです。

各巻は3章で構成されています。

[1章] ドキュメント 今、この職業に就いている先輩《せんぱい》が登場して、仕事にかける熱意や誇《ほこ》り、苦労したこと、楽しかったこと、自分の成長につながったエピソードなどを本音で語ります。

[2章] 仕事の世界 職業の成り立ちや社会での役割、必要な資格や技術、将来性などを紹介《しょうかい》します。

[3章] なるにはコース なり方を具体的に解説します。適性や心構え、資格の取り方、進学先などを参考に、これからの自分の進路と照らし合わせてみてください。

この本を読み終わった時、あなたのこの職業へのイメージが変わっているかもしれません。

「やる気が湧《わ》いてきた」「自分には無理そうだ」「ほかの仕事についても調べてみよう」。

どの道を選ぶのも、あなたしだいです。「なるにはBOOKS」が、あなたの将来を照らす水先案内になることを祈っています。

1章

ドキュメント
AIエンジニアの現場

ドキュメント 1 企業研究所で働くAIエンジニア

映像や画像から情報を探しだす技術を研究開発する

日本電信電話《にっぽんでんしんでんわ》（NTT）
吉田大我《よしだたいが》さん

取材先提供

吉田さんの歩んだ道のり

1984年生まれ。広島県《ひろしまけん》出身。情報系の父親の影響で、小学生のときにプログラミングに興味をもつ。中高一貫《いっかん》の進学校の広島学院《ひろしまがくいん》高校卒業、京都大学工学部情報学科、同大学大学院情報学研究科修士課程を経て、2009年に日本電信電話《にっぽんでんしんでんわ》（NTT）に入社、サイバーソリューション研究所に配属される。現在は、メディアインテリジェンス研究所でAIエンジニアとして働く。

最先端の情報技術の研究所で

ＹＲＰ野比《のび》駅という少し変わった名前の駅を降りて、さらにバスで揺《ゆ》られること約10分。まだ自然の残る広々とした高台に、大手通信企業《きぎょう》の研究所などが集まる横須賀《よこすか》リサーチパーク（ＹＲＰ）が見えてきます。この地に最初に研究所を構えたのが、日本電信電話公社、今の日本電信電話株式会社（ＮＴＴ）です。

１９７２年に設立されたＮＴＴ横須賀研究開発センターでは、最先端《さいせんたん》の情報通信技術の研究開発が行われています。いくつかの研究部門があるなかで、音声、言語、画像・映像などの技術を扱《あつか》っているのがメディアインテリジェンス研究所です。吉田大我さんは、ここで「画像や映像から情報を探しだすＡＩ技術」の研究と開発にたずさわっています。

プログラミング、ロボット技術に興味

吉田さんは広島県出身。父親が大学で情報学を教えていた影響《えいきょう》で、当時の一般《いっぱん》家庭にはまだそれほど普及《ふきゅう》していなかったパソコンが家にありました。小学校から帰るとまず電源を入れ、ゲームで遊ぶばかりでなく、図書室で借りてきたプログラミングの本に書かれていることを真似して打《う》ち込《こ》んでいたというほどのめり込《こ》んでいたそうです。

そんなある日、たまたま読んでいたマンガにプログラマーが脇役《わきやく》として登場し、吉田さんの将来に大きな影響《えいきょう》を与《あた》えます。

「大好きなプログラミングが仕事になるなんて知らなかったので衝撃《しょうげき》でした」

この日を境に、プログラマーの仕事を意識するようになりました。

その夢《ゆめ》は、その後ゲームクリエーター、そしてロボットクリエーターへとシフトしていきました。高校時代のロボット愛を象徴《しょうちょう》するエピソードが、校内で行われた自由発表会です。吉田さんは、ロボットの代表的存在の「ドラえもん」を実現する技術をテーマに選びました。

「目や耳のセンサー技術、関節や筋肉の技術、エネルギーをどうやって得るかなど、いろいろな資料を参考に自分なりに考えました」

これをきっかけに、ロボットをつくるために必要な幅広《はばひろ》い技術にますます魅《み》せられていきました。

工学部の情報学科に進学

特に興味をもったのは、会話に必要な人工知能の技術でした。会話は人とロボットのコミュニケーションに欠かせないと思ったからです。

「会話する技術に必要なアルゴリズムやプログラムを学ぶため、情報学科に進むことに決めました」

選んだのは、京都大学の工学部情報学科。中高で茶道部だった吉田さんにとっては、日本の文化が色濃《いろこ》く残る京都の街も魅力《みりょく》でした。

理系の大学生は卒業後に大学院に進むことが多く、吉田さんも入学当初から大学院の修士課程に進むことを決めていました。

4年生から始まる研究生活の拠点《きょてん》に選んだのは、インターネットなどから情報を探す技術を扱《あつか》う研究室。ここで、「関連する情報を探す技術」の研究に取り組みました。今ではすっかり定着したショッピングサイトなどで表示される「これを買った人はこちらも見ています」のようなレコメンド機能のさきがけとなった技術です。

修士課程を修了《しゅうりょう》するまでの3年間を費やし、その成果を国際学会や論文を発表することで世界に発信しました。

その後は、博士《はくし》課程に進むか、就職するか悩《なや》みました。

「結局、研究は楽しいけれど、人に使ってもらえるものにかかわりたいという気持ちが勝りました。自身がたずさわった技術をサービスにつなげることができる研究部門のある企《き》業《ぎょう》への就職をめざすことに決めました」

就職、新サービスの開発に取り組む

NTTの研究所は、そんな吉田さんの希望にベストマッチでした。サイバーソリューション研究所（名称は当時）に配属された入社

デスクを離れ、研究所の図書室でアイデアを整理することも

後の研修期間は、今後の方向性をみずから考え選んでいく時間でもありました。そこで吉田さんの道を拓《ひら》いてくれたのが、大学時代の研究経験です。これまで培《つちか》ってきたレコメンド技術を画像や映像などのメディアにも応用できるのではないか、と考えた吉田さんは、指導担当の上司とも話し合い、「映像レコメンド技術」を最初に取り組むテーマとして選びました。映像レコメンドとは、オンライン動画やインターネットテレビの番組を見た人に、「つぎにこんな動画はどうですか?」と関連するものを提案する技術です。

　このプロジェクトで、吉田さんは研究の立ち上げからサービスの開発までの一連の流れにたずさわりました。研究の段階では、ユーザーが見ている映像のデータから特徴《とくちょう》を見つけ出し、同じ特徴《とくちょう》をもつ別の映像をお勧《すす》めとして選ぶ技術をつくりあげました。開発の段階では、その技術を世の中の人にどのように使ってもらうかを検討し、ＮＴＴのグループ企業《きぎょう》が運営する「ひかりＴＶ」のレコメンド機能への応用を実現しました。

　ある休日に、家電量販店《りょうはんてん》のひかりＴＶのブースで自身の手がけた技術を見かけたときには、言い表せない喜びがあふれるのと同時に、達成感に包まれました。さらなる挑戦《ちょうせん》に闘志《とうし》がみなぎるのを感じたといいます。

画像認識の技術をイベントでテスト

　つぎに担当したのは画像認識プロジェクトでした。「アングルフリー物体検索《けんさく》技術」と呼ばれる、どんなアングル（角度）で撮《と》った画像からでもそれが何の画像なのかを認識するＡＩ技術の研究開発です。この技術は、わかりやすくいえば検索《けんさく》エンジンの画像版です。キーワードを入れると関連する内容のウェブページが見つかるように、ある画像を入力するとその画像にいちばん近いものを画像のデータベースから見つけ出す技術です。

吉田さんは、このプロジェクトの立ち上げメンバーとしてゼロからアイデアを出し、試行錯誤《さくご》をくり返しながらシステムをつくりあげました。なかでも、つくりあげた技術が現実社会でも通用するかを実証する「トライアル」を担当した経験は強く印象に残っているといいます。

そのトライアルの舞台《ぶたい》は、静岡《しずおか》県伊東《いとう》市。このまちでは、ひなまつりに市内のあちらこちらにひな人形を飾《かざ》る伝統行事があります。2015年、その関連イベントとして、アングルフリー物体検索《けんさく》技術を使って「デジタルスタンプラリー」を行いました。

イベント参加者は、チェックポイントでひな人形を携帯《けいたい》電話やスマートフォンで撮影《さつえい》し、イベント本部に送信します。さまざまな角度から撮影《さつえい》された画像が、どのチェックポイントのひな人形なのか、アングルフリー物体検《けん》索《さく》技術で認識します。たとえば、チェックポイントAのひな人形だと認識すれば、Aをクリアした証明となるスタンプを参加者に返信するというものでした。

イベント開催中《かいさいちゅう》の数日間、吉田さんは現地に張りつき、システムの管理や参加者への説明を担当しました。200名以上がスタンプラリーに参加し、扱《あつか》った画像も500枚を超《こ》えましたが、システムのトラブルはほとんどなく、プロジェクトは大きく前進しました。

「何より、自分でつくったものを体験し、楽しんでもらえたことがうれしかったです」と語るように、ユーザーとつながることができたことが、開発を行ううえで何にも代えがたい経験となりました。

形が変わるものの画像認識へ

その後、アングルフリー物体検索《けんさく》技術は、柔《やわ》らかく手に持つと形が変わってしまうような物体を認識する「変形対応アングルフリー物体検索《けんさく》技術」に発展していきました。入社して11年目の現在、吉田さんは、その技術のサービス化に向けた開発を担当しています。

たとえば、無人レジへの応用です。パッケージが変形しやすいポテトチップスやゼリー飲料のような商品は画像認識が難しく、レジの無人化の壁《かべ》となってきました。しかし、この技術があれば、その壁《かべ》を乗《の》り越《こ》えられるの

形が変わるものも含め、商品をカートの中に入れる

変型対応アングルフリー物体検索技術でどんな形の商品も一瞬で認識する

ではないか……。そんな発想で、ショッピングカートに入れた商品を認識するサービスのプロトタイプ（原型となるもの）を開発し、2018年秋、NTTの技術をさまざまな企《き》業《ぎょう》に紹介《しょうかい》する展示会でデモンストレーションを行いました。

ユーザーは、あらかじめ買い物リストをシステムに入力し、カメラ付きのカートで店内をまわるという設定です。カートに商品が入ると、どんな形の商品であってもそれが何かを瞬時《しゅんじ》に認識し、買い物リストと照合していきます。買い忘れがあったり、リストにないものを入れたりするとエラーメッセージで知らせてくれます。特に、小売店や倉庫で商品を管理する企業《きぎょう》に好評で、吉田さんは手応えを感じたそうです。

これまでは、変形する物を認識するために、あらゆる角度から撮《と》った画像や、さまざまな形に変形させた画像を、事前に大量に登録しておく必要がありました。これにはたいへんな手間がかかり、実用化への壁《かべ》となっていました。一方、今回の技術は、変形していない状態の画像が数枚あれば、その物体が大きく変形していても認識することができます。物体全体から認識しようとするかわりに、全体をいくつかにパーツ分けし、模様や文字など見た目のパターンをもとに認識しているからです。

この技術は、これからさらにみがかれていくと吉田さんはいいます。たとえば、無地の洋服など見た目のパターンがないものや、商品が積み重なったカートの下のほうにある商品の認識は、このアングルフリー物体検索《けんさく》技術でもまだ難しく、サービス化を進めていくうえで乗《の》り越《こ》えていかなければならない課題のひとつです。

「ひとつの技術だけであらゆるものを認識するのは難しいので、ほかの技術を組み合わせることで認識できる対象を広げていきたいと考えています」

正解の見えない課題にやりがい

「研究所をもつ企業《きぎょう》はめずらしくはないですが、研究と開発の両方にかかわることができるのは独特です」

吉田さんは今の研究所での仕事をそのようにとらえます。

「新しい技術を生みだしながら、それをビジネスとしてどれだけいいものにしていけるか、そのどちらにもかかわれるのは、大変ですがやりがいは大きいです」

自分がサービスを使う立場だったらどうかを常に考え、ユーザーの声を聞いたり、サービスが使われる現場を知ることを心がけています。

正解の見えない課題に向かっていくＡＩエンジニアは、常に逆境に立たされているような状況《じょうきょう》にあるともいえるでしょう。そこをうまく切《き》り抜《ぬ》けるカギとなるのが、楽観的な思考なのかもしれません。吉田さんは、失敗してもあきらめずに続けられる性格の持ち主でもあります。

「失敗したことをいつまでもうじうじ考えていてもどうにもならないですから。うまくいったら儲《もう》けものみたいに思っています」

加えて、強い好奇心《こうきしん》は大きな武器になるといいます。

「いろいろなことに興味をもてるということは、日常でも小さな発見がたくさんあるはずです。その発見が発明につながり、さらなる課題の発見につながっていくと思います」

ドキュメント 2 産学官プロジェクトにたずさわるAIエンジニア

災害から自分の身を守る行動をAI技術でサポート

富士通《ふじつう》
竹内《たけうち》 駿《しゅん》さん

竹内さんの歩んだ道のり

岡山《おかやま》県出身。子どものころの夢《ゆめ》は理科の先生。大阪教育《おおさかきょういく》大学教育学部在学中に宇宙物理に目覚め、京都大学大学院理学研究科物理学・宇宙物理学専攻《せんこう》修士課程に進学。ブラックホール宇宙物理学の研究に取り組む。２０１０年に富士通入社、２０１４年に在職しながら博士号《はくしごう》（理学）を取得。現在は、富士通研究所 人工知能研究所でAIエンジニアを務める。

AI技術を防災に活用する

神奈川県川崎市《かながわけんかわさきし》。川崎駅から南武線《なんぶせん》で15分ほど揺《ゆ》られ、武蔵中原駅を降りると、「FUJITSU」の赤いロゴが入った大きなビルが目に飛《と》び込《こ》んできます。富士通川崎工場本館です。

富士通は、30年以上の年月をかけてＡＩ技術の研究開発を行ってきた歴史があります。これまでに培《つちか》った知識技術、学習技術、数理技術などの複数のＡＩ技術をひとつのまとまりにして「Zinrai（ジンライ）」という名前をつけています。疾風迅雷《しっぷうじんらい》のように、人の判断や行動を〝素早く〟サポートして、社会やビジネスに〝ダイナミック〟な変革をもたらそうとしています。

防災もそのうちのひとつです。ＡＩを防災に活用すると聞いてもピンとこないかもしれません。実は、「予測をする」ことが得意なＡＩにとって、防災はもってこいのテーマです。富士通では、行政や大学（川崎市、東京大学、東北大学《とうほくだいがく》）と協力し、大きな防災プロジェクトに取り組んでいます。注目しているのは、いつ来てもおかしくないといわれる南海《なんかい》トラフ地震《じしん》が起きたときに、川崎市に押《お》し寄《よ》せる津波《つなみ》です。ＡＩで津波《つなみ》の動きを予測し、避難《ひなん》に役立てようとしています。竹内駿さんは、このプロジェクトにＡＩエンジニアとしてたずさわっています。

観測情報をもとにAIで津波《つなみ》予測

「めざすのは、ＡＩを活用して津波《つなみ》予測の精度を上げることです。富士通が得意とするスーパーコンピューターで計算すると、津波《つなみ》を高解像度で再現できるところがアピールポイントなんです」

そういって見せてくれたのは、津波《つなみ》のシミュレーション動画。沖合《おきあい》で発生した津波《つなみ》がみるみるうちに川崎市沿岸に押《お》し寄《よ》せ、市内に浸水《しんすい》していくようすが細かく映し出されました。地震《じしん》がいつ来るかは今の科学ではまだ予測できません。しかし、地震《じしん》が起こったときにどのくらいの規模の津波《つなみ》がどこに押《お》し寄《よ》せるかは、ＡＩ技術を使えばある程度の精度で予測できるのです。

「過去に発生した津波《つなみ》をもとに、これまで数々のシミュレーションを行ってきました。そのデータを使って、川崎市周辺で起こりうる津波《つなみ》のあらゆるパターンを、コンピューターにあらかじめ学習させています」

この「学習させておくこと」がポイントで、実際に地震《じしん》が発生したときに大きな威力《いりょく》を発

AIを使った地震発生時の津波予測シミュレーション動画の１コマ　取材先提供

揮します。つまり、リアルタイムの観測情報とその学習結果をもとにすぐに分析《ぶんせき》を行い、津波《つなみ》が発生するか、どのくらいの高さで何分後に来るかといった、一刻を争う事態を予測します。さらに、その情報をすばやく発信し、正しい避難《ひなん》行動につなげることもプロジェクトの重要なミッションです。

「地震《じしん》が発生したら、今いる地点が浸水《しんすい》するかどうかをすぐに予測して、スマートフォンアプリで『そこは浸水《しんすい》します！』と表示する、といったアプローチを考えています」

試作したアプリを見せてもらうと、画面に

ユーザーのスマートフォンアプリに表示される画面　取材先提供

は川崎市の地図上に避難所《ひなんじょ》のマークが表示されていました。吹き出しは、ユーザーがコメントや写真を投稿したことを知らせています。ユーザーどうしが危険箇所《かしょ》や被害状況《ひがいじょうきょう》をシエアできる仕組みが組み込《こ》まれています。実際にこのアプリを使った避難《ひなん》訓練では、市民の方々が積極的にアプリを活用し、訓練へのモチベーションが高まるのを確認できたそうです。

「市民を動かすような大きな取り組みを実現できるのは、このプロジェクトの醍醐味《だいごみ》です。異なる技術や知見が集まって、新しい価値が生まれていくことに大きなやりがいを感じます」

つまり、AIエンジニアとしての竹内さんの仕事は、単に技術を開発することだけではないのです。大学の研究者や行政の担当者は、価値観やめざすものが必ずしも一致《いっち》するわけではありません。立場の異なるメンバーと円《えん》滑《かつ》にコミュニケーションをとり、プロジェクトを動かしていくことも竹内さんの重要な役割です。ビジネス力も試され、大変さもありますが、それがおもしろさだといいます。

「AIは手段であって、目的ではありません。『市民の防災意識を高める』という共通のゴールをメンバーと共有し、会話を通して各々がやろうと思っていることの共通点を見つけ出していくのがポイントだと思います」

教師志望からエンジニアへの道

竹内さんは、岡山県倉敷《くらしき》市で生まれ、自然豊かな環境《かんきょう》で育ちました。両親とも教師で、将来は当然教師になるものと思っていました。幼少期は大阪で暮《く》らしましたが、高校は岡山県の公立校へ。卒業後は親元を離《はな》れ、大阪教育大学の理科専攻《せんこう》に進学しました。高校理科の教師をめざすなかで、竹内さんを魅了《みりょう》したのが宇宙物理です。4年次の卒論研究では、ブラックホール宇宙物理学にのめり込《こ》みました。この分野をもっと極めたいという思いが大学院の修士課程への進学を強く後押《あとお》ししました。

京都大学大学院理学研究科物理学・宇宙物理学専攻《せんこう》に進んだ竹内さんは、授業や研究で忙《いそが》しい時間を縫《ぬ》って、1年目から就職活動を始めました。博士《はくし》課程への進学という道もありましたが、それによって閉じられたコミュニティーにとどまることになるかもしれないと感じ、就職に踏《ふ》み切《き》ることにしたのです。これまでみがいてきた自身の専門性を活かし、さまざまな価値観をもった人とかかわり切磋《せっさ》琢磨《たくま》していきたいという思いで挑《いど》みました。

しかし、世の中はリーマンショック直後の就職氷河期。各社とも新入社員の採用には前向きではありませんでした。非常に厳しい風当たりのなか、分野にはこだわらず、さまざまな人とかかわることができる技術営業職を中心にあらゆる業界を模索《もさく》しました。最終的に、規模が大きく影響力《えいきょうりょく》のある仕事ができると感じた富士通に心を決め、採用を勝ち取ったのです。

SEとしてスパコン商談で大きな成果

システムエンジニア（SE）として入社後、はじめての担当は民間企業《きぎょう》の研究開発部門でした。SEのなかでも「フィールドSE」として営業職とタッグを組み、スーパーコンピューター（スパコン）の導入を提案し、構築・

運用を行う仕事です。自動車、建築、電機などさまざまな業種の企業《きぎょう》を担当しました。その後は大学や国立研究所でのスパコンの運用も担当。それらの経験から、世界でもトップレベルの大学にスパコンを導入するという非常に大きなプロジェクトで商談推進《すいしん》リーダーに抜擢《ばってき》されることになったのです。取《と》り扱《あつか》ったのは、有名な「京《けい》」の計算性能を国内ではじめて塗《ぬ》り替《か》えたスパコンでした。

「大学側が要求する技術は、当時のスパコン技術では追いつかないほど高いレベルでした。すべての要素に今までにない技術を組み合わせたシステムをつくりだす〝想定外〟のプロジェクトでした。世界を先導するいくつもの企業《きぎょう》との連携《れんけい》で、商談交渉《こうしょう》もこれまでとはわけが違《ちが》いました」

竹内さんは、営業職とともに商談の最前線

竹内さんが導入を成功させた富士通のスーパーコンピューター　取材先提供

に立ち、富士通グループ全社の力を結集させ、最終的には商談をまとめることができたのです。スパコンエンジニアとしての集大成をなせたと感じた瞬間《しゅんかん》でした。

宇宙物理研究からAIエンジニアへ

システムエンジニアとして着実に成長を遂《と》げながらも、竹内さんの宇宙物理への関心は消えることはありませんでした。大学院時代の恩師と連絡《れんらく》を取り続けるなかで、研究を再開し、博士号《はくしごう》取得をめざす気持ちが芽生えていました。働きながら週末を研究に費やす生活をスタートさせました。

宇宙物理研究ではデータ解析《かいせき》を多く取《と》り扱《あつか》うため、研究を行ううえでデータサイエンスの素養も身につけました。実は、竹内さんはかねてから「データ」利活用が近い将来いかに重要になるかにも注目していました。そこで博士号《はくしごう》取得後、会社の人事異動制度を利用して、物理学やデータサイエンスの知見を活かせる「人工知能研究所」の研究員を志望しました。そして望み通り、ＡＩエンジニアとしてのスタートを切ったのです。

研究員になって最初の3年間は、設備や機械といったものづくり産業へのＡＩ活用を担当しました。ＡＩは故障の予測や予兆の検知が得意なので、これをコア技術としてものづくり全般《ぜんぱん》に応用するのです。しかしひと筋縄《すじなわ》ではいきません。たとえば、ノートパソコンのバッテリー劣化《れっか》の予測、空調機の液漏《えきも》れ検知といったように、内容はそれぞれの業界に特化したものです。竹内さんは「担当する産業が替わるたびにかなりくわしいところまで勉強した」と当時をふり返ります。

「これまでは、良い技術を開発すると売れる時代でした。でも今は、ユーザーが製品やサービスを使いこなせるよう、開発者がサポートもしていかなければなりません」

ＡＩエンジニアは、ＡＩ技術で予測や検知をするだけでなく、「どんな課題を解決したいのか」という一歩踏《ふ》み込《こ》んだところまでかかわります。真の課題解決につながるＡＩシステムを提供するためには、個々の産業についてのくわしい知識が不可欠なのです。

広い視野で常に先を見据《みす》えて

研究員３年目、竹内さんはさらなるスキルアップに踏《ふ》み切《き》ります。数理モデリングやデータサイエンスにすぐれたスイスのチューリッヒ工科大学への留学です。会社の留学制度を利用し、１年間研究に専念しました。具体的には「計算社会科学」と呼ばれる新しい分野で、文系と理系の要素が合わさった非常に幅広《はばひろ》い学問です。所属した研究室で目にしたのは、ＡＩ、物理学、経済学などまったく違《ちが》う分野の学生や研究員でした。

「あれほど分野の違《ちが》う人たちが集まる研究室はめずらしく、最先端《さいせんたん》を肌《はだ》で感じることができました。違《ちが》う専門の人たちと議論すると、あたりまえだと思っていたことがそうではないことに気付きます。その結果、新しいものが生まれてくるんです」

その経験を通して、竹内さんは「共創」が今のＡＩ時代のひとつのキーワードだと考えています。過去数十年で科学は細分化され、それぞれの分野で知識が確立されてきました。今、それらの知見をひとつにまとめて新たな知見を創りだそうとする風潮があります。

「共創」が今の AI 時代のひとつのキーワードと話す竹内さん

「今、ＡＩはブームのピークにあります。でも、５年後にはＡＩはひとつのあたりまえの業種になっていくと思います。ＡＩが定着した時代にＡＩエンジニアという言葉を使っているかどうかはわかりません」

現役のＡＩエンジニアからのそんな発言は少し衝撃的《しょうげきてき》かもしれません。でも決して悲観的なのではなく、時代の移り変わりや将来を見《み》据《す》えていくことが求められるＡＩエンジニアとしての心構えを映すものです。

ＡＩが定着した将来については、「ＡＩのつぎの新しい技術があるのなら、それを追っているかも」と竹内さん。新しい知識や技術を習得することをいとわず常に前進していく姿勢に、ＡＩエンジニアという仕事が今後どのように進化していくのか、大きな可能性が感じられました。

ドキュメント 3 大手情報通信会社で働くAIエンジニア

さまざまな企業のニーズに合うAIを使ったサービスを提供

日本電気《にっぽんでんき》(NEC)
森本麻代《もりもとまよ》さん

森本さんの歩んだ道のり

京都府《きょうと》出身。エンジニアの父の影響《えいきょう》もあり、幼いころからエンジニアを意識していた。同志社《どうししゃ》大学理工学部インテリジェント情報工学科を卒業後、同大学大学院理工学研究科に進み、脳波から感情を判断する研究に取り組む。2014年NEC入社。現在は、デジタルビジネスプラットフォームユニット AI・アナリティクス事業部でAIエンジニアとして勤務。

「働き方改革」につながるサービスを企画

今日本では、少子高齢化《こうれいか》の影響《えいきょう》で働く世代の人口が減り、働き手不足が深刻です。そこで多くの企業《きぎょう》では、人にしかできなかった知的な作業をＡＩにまかせ、働く人の負担を減らそうとする動きが広まっています。このような時代を背景に、個々の企業《きぎょう》のニーズに合ったＡＩ技術を提供しているのが日本電気株式会社（ＮＥＣ）です。

ＡＩを「人を支援《しえん》してくれるもの」と考えるＮＥＣでは、幅広《はばひろ》いニーズに対応しています。たとえば、ＡＩに熟練社員のノウハウを学習させて、経験の浅い社員でも質の高い業務を行えるようにサポートをします。また、製品が故障したり破損したときの画像をＡＩに学習させて製品チェックの人手や時間を省くなど、主に企業《きぎょう》に対してオーダーメイドのサービスを提案しています。

森本麻代さんは、この会社でＡＩを活用した「ソリューション」を企画《きかく》しています。ソリューションとは〝解決策〟という意味で、ビジネスの世界では「企業《きぎょう》がかかえる課題を解決するシステム」を指します。さまざまな課題があるなかで、森本さんが担当するのは「働き方改革」。働く人にとって働きやすい環《かん》境《きょう》を整えるよう、国をあげた取り組みが本格始動していますが、森本さんもＡＩをどのように活用したら自分たちも働きやすいか、という視点で日々課題の発見に目を光らせています。

ファイル探しチャットボット

たとえば、森本さんの同僚《どうりょう》たちに「必要な

ファイルがなかなか見つからない」という困りごとがありました。森本さんの部署は、さまざまな部署からのメンバーが集まっていて、おたがいがどんなプロジェクトにかかわってきたのかなど、わからないことだらけです。そのため、サーバーと呼ばれるコンピューター上でファイルを共有しても、欲しい情報がどのファイルに入っているのかわからず、ファイル探しにはみんなが苦労していました。

そこで森本さんが考えたのが、欲しいファイルの保存場所をキーワードで探すシステム「ファイル探しチャットボット」です。チャットボットとは、対話を意味する〝チャット〟と〝ロボット〟を組み合わせた言葉で、AIを活用した自動会話プログラムを指します。知りたいことを音声やテキストで入力すると、膨大《ぼうだい》な情報から答えをすばやく見つけてくれるので、企業《きぎょう》のホームページなどで問い合わせやFAQ（よくある質問）によく使われています。

森本さんは、ファイル探しチャットボットの開発に、NECの「自動応答」というチャットボットを応用しました。ファイル名・更《こう》新日《しんび》・担当者などのデータを使い、約3カ月をかけ、自動応答で目的のファイルを検索《けんさく》できるシステムをつくりあげました。ファイルが削除《さくじょ》されたり新しく登録されても対応できるよう、自動で更新《こうしん》して正しく処理できるメンテナンス機能も加えました。

完成後、実際に部署のメンバーに使ってもらうと、目的のファイルを簡単に見つけられるようになったと好評でした。実際にアンケートもとり、同僚《どうりょう》たちの作業効率や精度がどれくらい上がったのかも細かく分析《ぶんせき》しました。

その結果は国内外の学会で発表し、論文にまとめて学術雑誌に投稿《とうこう》することで、同じようにＡＩの開発にたずさわる世界中の人たちに伝えます。

実用化に向けても積極的に動いています。ほかの部署でも使えるように手順書も作成し、一部の部署では実際に使われています。また、製品化も視野に入れており、担当部門にも共有して検討してもらっているそうです。「自分の探索心を刺激《しげき》しつつ、人の役にも立てると実感しています」と、森本さん自身も手応えを感じています。

ＡＩを使う人の立場から業務を知る

ＮＥＣでは、ＡＩ技術を自分の会社の業務に活用することに関心のある企業《きぎょう》の担当者を集め、月に一度、「データ・アナリティクス

海外の学会で、自身の研究について参加者とディスカッション　取材先提供

研究会」という会合を行っています。この会をサポートするのも森本さんの重要な仕事のひとつです。担当者が一方的に情報を提供するセミナーとは違《ちが》い、グループに分かれて実際にデータ分析《ぶんせき》も行います。

　ここで求められるのは、柔軟《じゅうなん》で臨機応変な対応です。というのも、データ分析《ぶんせき》のテーマは、参加者がその場で決めるからです。たとえば、消費財メーカーの担当者がいるグループでは自社製品の分析《ぶんせき》を、金融《きんゆう》会社の担当者がいるグループでは同業他社の商品（金融《きんゆう》商品）を分析《ぶんせき》するなど、毎回特色があるといいます。それぞれにベストな分析《ぶんせき》方法が異なり、幅広《はばひろ》い知識や経験が求められるのです。

「金融業《きんゆうぎょう》だったり、製造業だったり、幅広《はばひろ》いのでまとめるのは難しいですが、いちばんの目的はＡＩを知ってもらうことです」と話すように、森本さんは「教える」立場。しかし、重点をおいているのは「教わること」だといいます。相手企業《きぎょう》の担当者は必ずしもＡＩについて十分な知識をもっているとは限りません。どんな業務にＡＩを活用できるのか明確になっていないことも多々あります。そこを探るために「教えてもらう」のです。

「私たちはＡＩにはくわしいんですけど、お客さまの業務に関しては知らないことが圧倒《あっとう》的《てき》に多いんです。お客さまの立場に立って業務を一から理解してこそ、ＡＩがどうやって活用できるかを考えることができるんです」

　相手をわかろうとする謙虚《けんきょ》な気持ちで信頼《しんらい》関係を築くことができれば、必要なデータの提供などの協力が得やすいことを森本さんは過去の経験から学んできました。ＡＩエンジニアといっても、コンピューターと向き合っ

AIを活用してもらうために相手企業の業務を「教えてもらう」ことが大事、と森本さん　取材先提供

てデータを分析《ぶんせき》するだけではなく、人間とのリアルなコミュニケーションが欠かせないのです。

大学は理工学部の情報学科へ

高校生のころ、すでに大学選びの段階でAIに関心を抱《いだ》いていた森本さんにとって、AIエンジニアの道に進んだのは自然な流れでした。

「AIって直感的におもしろそうだなと思っていました。大学のオープンキャンパスに行き、AIを情報系の学科で学べると知って進学先を決めました」

情報工学は、工学部や情報学部でも学べますが、森本さんが選んだのは理工学部。なぜなら、ほかの学部に比べてより幅広《はばひろ》く学べるからです。専門性は就職するときに深めていけばいいという考えからでした。

「今は大学院に進んだほうがいろいろ勉強できるし、就職してからもプラスになるからいいよ」と、同じく理系だった父親からの後押《あとお》しもあり、入学後ほどなくして大学院への進学も決めていました。

大学4年生から修士課程を修了《しゅうりょう》するまで所属した研究室は、人間の代わりにいろいろなことをしてくれる知能ロボットの技術を研究していました。ロボットの目になる画像処理や、言葉を理解する言語処理、動きをコントロールするロボット制御《せいぎょ》などです。そんななか、森本さんはもっと人間よりの技術の研究に関心を抱《いだ》きます。

「人間が発する情報について研究したいなと思って、あえて脳波を使った研究を選びました」


取り組んだのは、脳波のデータから人の感情を読みとることはできるのかというテーマでした。うれしいときや悲しいときなど、さまざまな感情を抱《いだ》いている瞬間《しゅんかん》の脳波がどうなっているかを調べるために、できる限りたくさんの実験協力者を募集《ぼしゅう》し、測定をくり返しました。しかし、脳波測定は脳波計を頭にかぶったままの状態で長時間を要するため、協力者には大きな負担がかかります。そのため、収集できるデータ量には限界がありました。

「実際の仕事でも、データが足りなくて分析《ぶんせき》ができないことがあります。将来的には、今あるデータを擬似的《ぎじてき》に増やすような研究も必要だと感じています」

悔《くや》しい経験も、つぎへのステップへとつなげる向上心の高さがうかがえます。

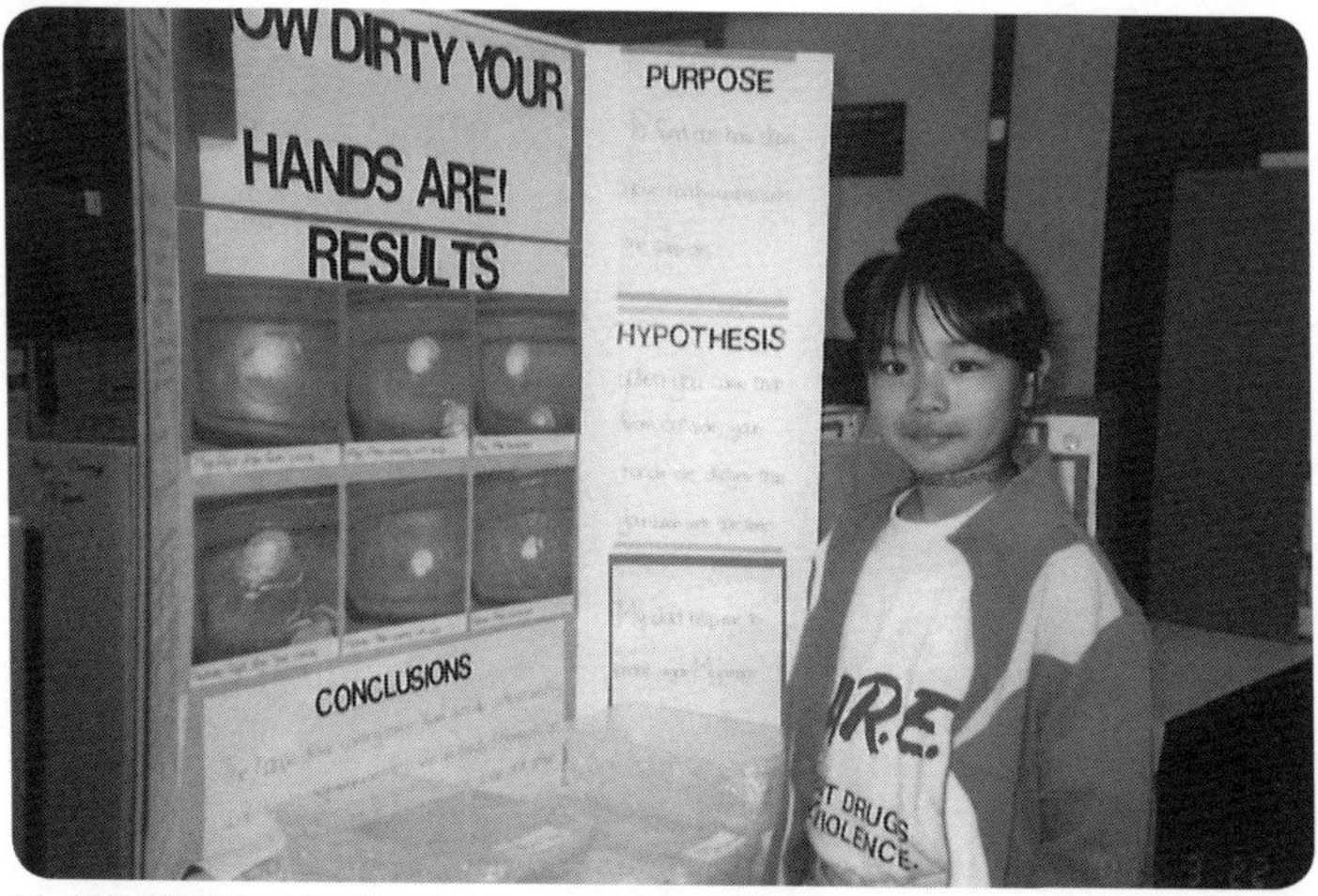

「人の手の細菌がどのように増えるか」について自分の手で研究　取材先提供

小学生のころアメリカで感じたこと

父親もエンジニアという森本さん一家は、京都に住んでいましたが、森本さんが小学3年生のとき、父親の転勤のためアメリカで暮《く》らすことになりました。その転勤先は、シリコンバレー。街は当時もIT業界で盛《も》り上《あ》がり、活気にあふれていました。

「私も将来は海外で活躍《かつやく》できるようなエンジニアになれたらいいな」

父親の姿を見て、このときそんな想いをすでに抱《いだ》いていたといいます。

一方、アメリカでの暮《く》らしは、ひっこみ思案で消極的だった森本さんには衝撃《しょうげき》的《てき》でした。意見をしっかり言わなければ、コミュニケーションの輪に入っていけない文化。はじめは戸惑《とまど》うこともたくさんありました。そのなかで、〃間違《まちが》っていても自分の意見や意思をしっかりもち、相手に伝えることの大切さ〃を学んだのはこのときでした。物腰が柔《やわ》らかい印象なのに、軸《じく》がぶれずハキハキと話す今の森本さんをよく表すエピソードです。

高校生で国際ビジネスを疑似体験

小学校卒業とともに帰国した後は、国際的な教育環境《かんきょう》の整った中高一貫校《いっかんこう》に入学。そこで、ビジネスを学ぶ貴重な体験の機会に恵《めぐ》まれます。グローバル・エンタープライズ・チャレンジ（GEC）への参加です。GECは国際的なビジネス競技大会で、世界がかかえる問題（エネルギー、環境《かんきょう》、福祉《ふくし》、教育など）について、世界中の高校生のチームが12時間の制限時間で解決策を考え、そのアイデアの創造性や実現性を競います。

「挑戦《ちょうせん》してみたい」。そう強く思った森本さんは、校内選考を見事通過。国内予選への切《きっ》符《ぷ》を手にします。

予選当日、与《あた》えられた議題は「天災時に役立つ防災商品を開発せよ！」でした。学年の違《ちが》うほぼ初対面のチームメートと防災についての背景知識を調べながら、アイデアを練《ね》り込《こ》みました。コストや利益など、ビジネスとして実現できるかも重要なポイントです。タイムマネジメントや提案書の作成などの分担は、まさに会社で取り組むチームプロジェクトそのものでした。国際大会への出場権は逃《のが》しましたが、チーム一丸となりひとつのゴールをめざして取り組んだこのイベントは、今の仕事の原点になったと森本さんはふり返ります。

AIの専門知識は入社後でよい

現在、森本さんは東京《とうきょう》で働きながら、京都にある母校の大学院の博士《はくし》課程に通っています。入社して数年経ったころ、具体的に何をしたらいいのかがわかり、専門をより深める決意をしたのです。

「博士号《はくしごう》をもっていたほうが、国際的には専門家と見られることが多いので」と、海外での活躍《かつやく》も視野に入れています。

就職を控《ひか》えた学生や新入社員とかかわることも多い森本さん。そのなかで、希望の事業部に入るにはどうしたらいいかを気にする彼らに少し違和感《いわかん》を覚えるといいます。

「AIにかかわる専門的な知識は入社してから学べばいいと思います。それより、今勉強している分野を極めるつもりで積極的に勉強する姿勢や、自分で考える力のほうが圧倒的《あっとうてき》に大事だと思います」

その言葉には、自分をしっかりもち、みずから世界を切り開いていこうとする姿勢がこの分野でいかに大事なのかを、身をもって実践《じっせん》している森本さんの強いメッセージが込《こ》められていました。

2章

AIエンジニアの世界

AIとは

人間の知能を機械で再現
大きなチャレンジの全盛期

AIって何？

ここ数年でAIという言葉をほんとうによく見聞きするようになりました。AIはartificial intelligence の略で、日本語では人工知能といいます。artificial は「人工的な」、intelligence は「知能」という意味です。この本ではAIと呼んでいきましょう。

みなさんは、AIと聞いて何をイメージしますか？　ドラえもんや鉄腕《てつわん》アトムのようなロボット？　自動運転車？　それとも話しかけると応えてくれるSiri（シリ）やAlexa（アレクサ）などの会話システムやAIスピーカーでしょうか？　AIってなんだかもやっとしていて、正体がよくわからないという人もいるかもしれません。

無理もありません。実はAIには「AIとはこういうものです！」と言い表せる定義が

まだありません。ＡＩを研究している科学者たちのあいだでは、ＡＩは人工的につくられた知能という点ではだいたい考えが一致《いっち》しています。でも、ＡＩが人よりすぐれているか、人の心をもつのか、といった点で意見が微妙《びみょう》に異なっています。前向きに考えれば、これから柔軟《じゅうなん》に議論していく余地があるということですね。

脳の仕組みを機械で再現

私たち人間は、目で見たり、耳で聞いたり、匂《にお》いを感じたり、触《さわ》ったりして常に世の中の情報をキャッチしています。入ってくる情報に対して、脳がこれまでの経験をもとに判断し、私たちは行動しています。このくり返しでふるまいのパターンができあがります。たとえば、みなさんは家から学校や職場まで毎日だいたい同じルートを通るでしょう。毎日通っているうちに、信号の数や交通量、坂の有無などから判断し、自分にとって最適なルートを選んでいるのです。

この脳の仕組みを真似しようというのがＡＩの考え方です。人が目で見たり耳で聞いたりして取り入れる情報を、すべてデータで補います。先ほどの通学ルートの例でいうと、信号の数、交通量、坂の数といったデータから、計算でパターンやルールを探しだし、いちばん都合のいいルートを見つけだします。

このように考えると、ＡＩはロボットやスピーカーといった「もの」ではなく、人でいう脳にあたる機能、つまり「知能」だということがわかりますね。でも、人と同じレベルの知能のＡＩはまだ存在しません。一方で、ＡＩが人と同レベルの知能を得るには、人間と同じように身体が必要ともいわれています。人は体を使って外の世界にふれることで、脳だけではできない学習をしているからです。

複数の技術を組み合わせて脳を再現

ＡＩを研究の観点から眺《なが》めてみると、もう少し具体的に見えてきます。図表1は、今、世界中で研究されているさまざまな技術です。これらはすべて、ＡＩを実現するための技

図表1　AIを実現するための技術

（『AI 白書2020』を一部改変）

術という位置づけです。たとえば、スマートスピーカーに使われる音声認識や顔認証に使われる画像認識などの認識技術、自動翻訳《ほんやく》に使われる言語処理技術……。これら一つひとつの技術を組み合わせて、人間の知能を再現しようとしています。

　これらの技術の発展に非常に大きく貢献《こうけん》しているのが、ディープラーニング（深層学習）という技術です。ディープラーニングが注目されるようになったのはごく最近のことです。後ほどくわしく触《ふ》れていきます。

2種類のＡＩがある——特化型と汎用型《はんようがた》

ＡＩにはさまざまな分類の仕方がありますが、なかでも代表的な「特化型」と「汎用型《はんようがた》」という分け方を紹介《しょうかい》します。

●特化型ＡＩ

決まった課題や作業を行うＡＩを特化型ＡＩといいます。たとえば、人間のプロ棋士《きし》を破って話題になったAlphaGo（アルファ碁）は、囲碁《いご》を打つ特化型ＡＩです。特化型ＡＩは、特定の分野では人よりすぐれた力を発揮することもありますが、人のように自分で考えて答えを見つけるわけではなく、弱いＡＩと呼ばれることもあります。今、世の中にあるほとんどのＡＩは特化型ＡＩで、弱いＡＩに分類されます。

●汎用型《はんようがた》ＡＩ（ＡＧＩ）

決まった課題や作業だけでなく、どんな状況《じょうきょう》でも自分で課題を見つけて、能力を応用して問題を解決できるＡＩを汎用型《はんようがた》ＡＩまたはＡＧＩ（Artificial General Intelligence）といいます。人間と同じようにものごとを理解して考えることができ、強いＡＩと呼ばれることもあります。ドラえもんや鉄腕《てつわん》アトムはこのタイプのＡＩといえるでしょう。汎用型《はんようがた》ＡＩは技術的ハードルが高く、まだ世の中に存在しません。研究開発が行われていますが、実現を疑問視する専門家もいるほど難しい分野です。

ＡＩの歴史

●ＡＩの研究が始まる前

生物学、物理学、数学など何百年もの歴史がある学問に比べ、ＡＩは新しい分野です。とはいっても、人工的に知能をつくることへの魅力《みりょく》は古代からあったようで、神話や伝説には主人の命令に従う泥人形《どろにんぎょう》が登場します。17〜18世紀になると、感覚的な世界観から科学的にものごとを決める新しい世界観を唱える学者が現れ、ＡＩの考え方の土台をつくりました。

19世紀には、ＡＩの研究が始められるきっかけとなる大きなできごとが二つ起こりました。ひとつは脳の神経細胞《さいぼう》（ニューロン）が発見されたこと、もうひとつはコンピューターの基本的なアイデアが生まれたことです。脳のニューロンもコンピューターの真空管も、基本的な仕組みはスイッチのオンオフの切り替《きか》えです。そこで、「コンピューターが人間の脳のように知的にふるまえるようになるのでは?」と考える科学者が出てきたのです。

●ＡＩの始まり――ダートマス会議

１９５６年、そのような考えをもつ科学者たちがアメリカのダートマス大学に集まり、おたがいの研究を発表し合いました。そこで、ジョン・マッカーシー氏がはじめてArtificial Intelligence（ＡＩ）という言葉を使い、その研究の可能性を提案しました。一般《いっぱん》に、この時がＡＩの始まりと考えられています。

●第一次ＡＩブーム（１９５０年代後半〜１９６０年代）

迷路やパズルなどトイ・プロブレム（トイは「おもちゃ」という意味）を人より速く解けるコンピューターアルゴリズム（問題を解くための手順）が考え出され、世間をわかせました。しかし、ルールが単純で明確なトイ・プロブレムは解けても、実際の人間社会の問題はコンピューターには複雑で解決できないこともわかり、しだいに失望感が生まれます。

●第二次ＡＩブーム（１９８０年代）

人間の専門家のように知識をもとに答えを出すエキスパートシステムが開発され、実用化されました。化学物質の構造式を決定するDendral（デンドラル）や、感染症《かんせんしょう》の診断《しんだん》や治療《ちりょう》をサポートするMycin（マイシン）はその例です。しかし、大量のデータの入力も更新《こうしん》もすべて人が行う必要があったため莫大《ばくだい》なコストがかかり、コンピューターに人のような複雑な学習をさせる技術も追いつきませんでした。当時はＡＩに対して疑わしさもあり、第二次ブームも冷めていきました。

●第三次AIブーム（2000年代〜現在）

１９９０年代後半、チェスのプログラムが人間のチャンピオンを破るという歴史的なできごとが起こりました。２００６年にはＩＢＭがワトソンというＡＩシステムを開発し、２０１１年にはテレビのクイズ番組でクイズチャンピオンを破りました。２０１４年にはソフトバンクがペッパーというＡＩ搭載《とうさい》ロボットを発売し話題になるなど、人びとのＡＩへの関心はまた高まってきました。

同じころ、コンピューターの性能は上がり、インターネットやスマートフォンも普及《ふきゅう》してきました。大量のデータが流通し、ビッグデータの時代が訪れたのです。同時に、コンピューターに学習能力をもたせる機械学習も発展してきていました。ビッグデータを機械学習で分析《ぶんせき》することで、機械学習はＡＩと呼ばれるようになりました。

また、機械学習をさらに発展させたディープラーニングも生まれました。機械学習は人間が学習させる必要があるのに対し、ディープラーニングは人間の指示を待たずに自分でデータを分析《ぶんせき》して学習していく技術です。２０１２年、カナダのトロント大学の研究チームが、画像認識技術のコンテストでディープラーニングの技術を活用して圧勝したことで注目されるようになりました。囲碁《いご》のプロ棋士《きし》を破ったAlphaGOもディープラーニングの技術で、現在のＡＩブームの火付け役といえます。

図表2　画像認識技術の応用例

製造業	・不良品の判別 ・産業用ロボットの目として物体を検知
自動車産業	・自動運転に不可欠な走行環境の理解
農業	・作付けや生育状況などの判断・生産支援 ・出荷できない作物の選別
医療・介護	・レントゲン画像などから病気を発見 ・介護ロボットの目として物体や周囲環境を認識
防犯・防災	・不審物や不審人物の行動を検知 ・被災地の状況を監視し、異常を検知
エネルギー	・発電所などの異常を検知
物流	・検品やピッキング（商品の取り出し）
流通業	・来客数予測や商品管理 ・混雑状況の把握 ・偽ブランド品の検知
エンターテインメント	・アニメやゲームの映像制作支援 ・モノクロ写真からカラー写真を生成
スポーツ	・選手のプレーを分析し、戦略に活用
スマートライフ	・高齢者、子ども、ペットの見守り

（『AI白書2020』より作成）

このブームでＡＩは大きく発展し、製造業や自動車産業をはじめ、さまざまな分野で活用され始めています。ディープラーニングで精度が格段によくなった画像認識について図表２に産業への応用例を紹介《しょうかい》しました。音声認識技術も急速に発展し、スマートフォンやスマートスピーカーで使われるSiriやAlexaなどの音声アシスタントが私たちの日常に加わりました。このように、今後ＡＩが人びとの暮らしや産業にますます取り入れられるようになり、社会を大きく変えていくと考えられています。

説明できるＡＩを求める動きも

ＡＩの急発展を支え、期待も大きいデ

ィープラーニングですが、ブラックボックスと呼ばれることがあります。ディープラーニングが出した答えに対して、なぜそのような答えになったのかという理由を説明できないからです。ディープラーニングの考える仕組みが人間により近いからこそ、このようなことがいわれます。私たち人間も、ふだんやっていることの根拠《こんきょ》をすべて説明できないのと同じです。

でも、説明できないと困ることもあります。たとえば、ディープラーニングがレントゲン画像からがんを発見しても、どのようにしてそれががんだと判断したのかがわからなかったら治療《ちりょう》に踏《ふ》み切《き》れるでしょうか？　納得できる説明ができなければ、実際の医療《いりょう》現場では使えません。

そこで、最近では説明可能なＡＩを求める声もあがってきています。ディープラーニングに説明機能をもたせるために、入力した情報から答えにたどり着くまでの過程を人の目で見えるようにするなど、ＡＩが出した判断に対する理由や根拠《こんきょ》を示す「説明可能なＡＩ」の開発も進められています。

ＡＩの社会的意義

日々の暮らしからビジネスまで大きくなっているＡＩの存在感

ＡＩは暮《く》らしにどう役立っている？

暮《く》らしやビジネスシーンに浸透《しんとう》しつつあるＡＩ。どこでどのように使われているかを意識したことはありますか？　ここでは、実際の活用例をあげながらＡＩの役割を紹介《しょうかい》します。いつも使っているサービスが、最近なんだか急に便利になったなぁ……。そんなふうに感じたら、もしかしてＡＩが一役買っているかもしれません。まずは、私たちの暮《く》らしを便利で豊かにしてくれるＡＩを見ていきましょう。

●インターネットの検索《けんさく》エンジン

キーワードひとつで知りたい情報が得られる検索《けんさく》エンジン。たとえばGoogle（グーグル）の検索《けんさく》ページで、「ランチ、○○駅」と入力すると食事ができる場所の情報がずらり

と並《なら》びます。ＡＩはキーワードから「ユーザーは、○○駅でランチができるところを探している」と推測します。莫大《ばくだい》な数のユーザーが、日々どのようなキーワードを使い、どのような情報にたどり着いているのかを学習しているからです。また、過去に使われたことのないキーワードからもユーザーの求めている情報を推測することができます。

●通販《つうはん》サイトのおすすめ機能

ネットショッピングで、いくつかの商品を比べながら選びたいときに「これを買った人はこの商品も見ています」と似たような商品を並《なら》べて表示してくれるレコメンド（おすすめ）機能があると便利ですね。通販《つうはん》サイトを訪れたユーザーが、どのような商品を閲覧《えつらん》し、購入《こうにゅう》するか、ＡＩを使って分析《ぶんせき》します。結果をもとに、いっしょに購入《こうにゅう》される商品の組み合わせや、購入者《こうにゅうしゃ》の性別や年代別の買い物傾《けい》向《こう》を推測し、レコメンドにつなげています。

●音声アシスタント

「電話をかけて」、「アプリを開いて」などと呼びかけると要望に応えてくれる音声アシスタント。スマートフォンに搭載《とうさい》されているSiriやAlexaが有名ですね。ユーザーの言葉をAIが認識し、要望の意図を解釈し、状況《じょうきょう》に見合ったリアクションをします。おしゃれなデザインが目をひくスマートスピーカーは、音声アシスタント機能をもつスマート家電です。基本的にスマートフォンの音声アシスタント機能と大きく変わりませんが、スマートフォンのように手で持ったり画面を見たりする必要がなく、わずらわしさがありません。スマートスピーカーならではの利用シーンで活躍《かつやく》しています。

●交通機関の乗《の》り換《か》え案内

行き先を入力すると、電車やバスの経路パターンや到着《とうちゃく》時刻を教えてくれる乗《の》り換《か》え案内サービス。今後、AIの活用でさらに正確な到着《とうちゃく》時刻がわかるようになるようです。都心の電車は相互《そうご》乗り入れが増え、ひとつの路線の遅《おく》れがほかの路線に影響《えいきょう》しやすくなっています。この遅《おく》れをAIが瞬時《しゅんじ》に予測する技術が誕生《たんじょう》しています。また、バスには発着時刻を記録する機器を設置し、集めた情報をAIが分析《ぶんせき》して、より正確な到着《とうちゃく》時刻を予測し

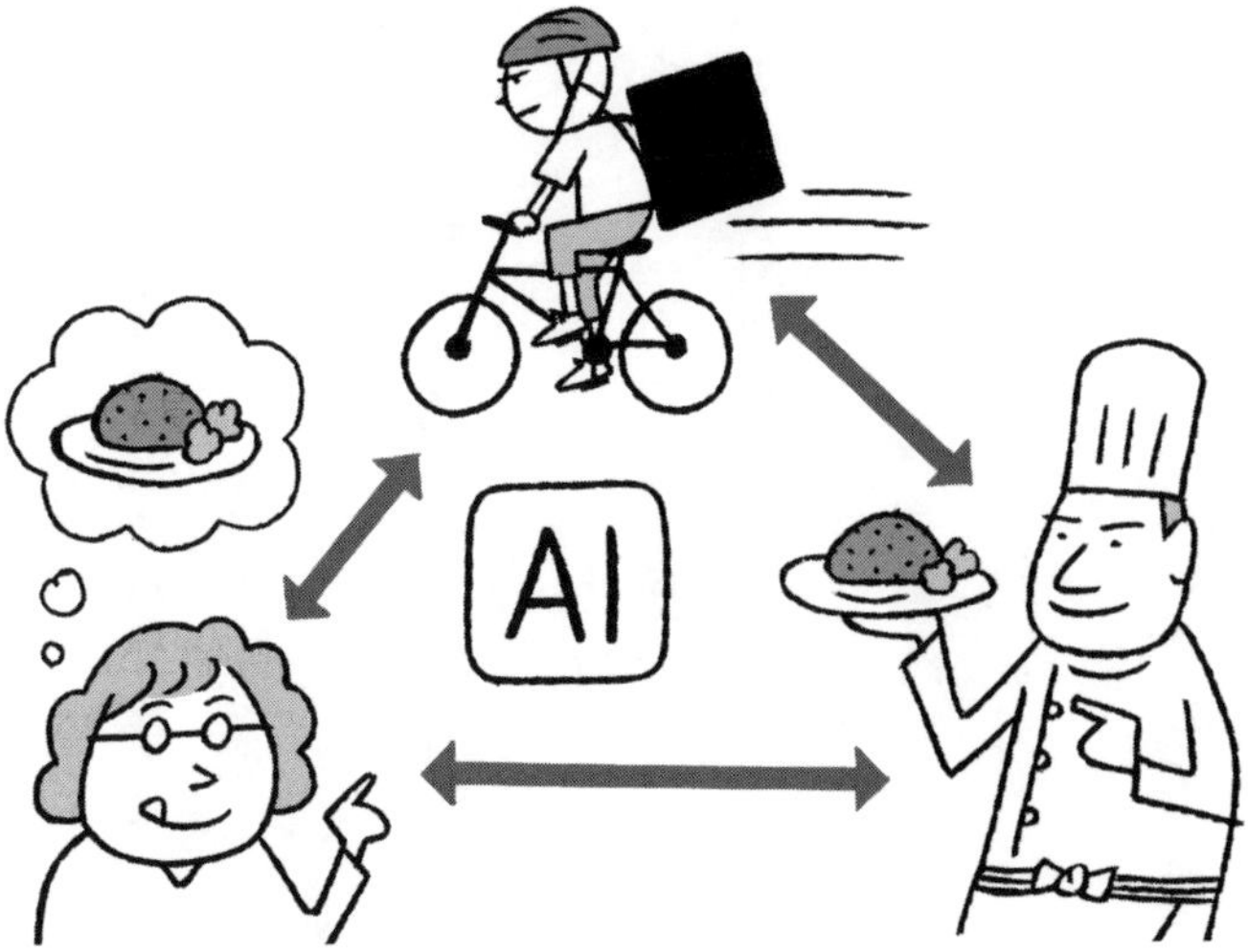

ます。

●マッチングサービス

タクシーを呼びたい、ピザの配達を頼《たの》みたい、そんなときにマッチングのアプリを使うと、手間をかけずにすばやいサービスを受けられるようになってきています。Uber（ウーバー）のようなタクシーの配車サービスは、ＡＩがタクシーと乗客を位置情報から効率よくマッチングします。同様に、Uber Eats（ウーバーイーツ）は配達員と料理を注文した人をつなげ、AirBnB（エアビーアンドビー）は宿泊《しゅくはく》施設《しせつ》を提供するホストと宿泊客《しゅくはくきゃく》をつなげます。

●教育

これまでは授業といえば、先生が教壇《きょうだん》に立ってクラス全員に対して行うスタイルが主流でした。最近ではＡＩを活用し、一人ひとりの個性や特徴《とくちょう》を考慮《こうりょ》しながら興味や関心の違《ちが》いを前提とした授業や学習が可能になってきています。学習者の理解度などに応じた学習プログラムが受けられる適応学習（アダプティブ・ラーニング）や、言語学習でＡＩと対話することでスキルを身につける対話型トレーニングなどがあります。主に塾《じゅく》や通信教育など、民間の教育機関で導入されています。

医療《いりょう》や防犯・防災にも活用される

ＡＩの分析力《ぶんせきりょく》や認識力は、人間のそれをはるかに上回ります。これを活用し、私たちの暮《く》らしの安全や健康が守られています。

●病気の発見から治療《ちりょう》までサポート

医療《いりょう》や創薬は、ＡＩの活用がもっとも期待されている分野のひとつです。画像認識技術を応用すれば、レントゲンやＣＴ画像から病気や骨折などの発見に役立てることができます。たとえば、大腸の内視鏡検査をしながら病変を見つけるＡＩプログラムは、診断《しんだん》の精度を上げるばかりでなく、医師不足が深刻化するなかで医師の負担を減らせます。また、ディープラーニングなどの技術を使い、化学化合物の膨大《ぼうだい》なデータベースから薬の候補を見つける技術も研究されています。新しい薬をつくるには長い時間がかかりますが、より

スピーディーになっていきそうです。

予防の観点からは、ＡＩが患者《かんじゃ》さんの過去の診療《しんりょう》カルテや医学研究であきらかになったデータを分析《ぶんせき》し、病気の早期発見や適切な治《ち》療《りょう》につなげる取り組みも始まっています。日本には世界有数の大規模な医療《いりょう》ビッグデータがあります。ＡＩを活用して医療《いりょう》のＩＴ化が進めば、日本が世界を医療《いりょう》でリードできると期待されています。

●犯罪や事故を未然に防止

防犯カメラは、撮影《さつえい》後《ご》に人間が映像を確認するためのもので、犯罪や事故を未然に防ぐことはできません。そこで防犯カメラの映像をＡＩがリアルタイムで確認し、異常を見つければすぐに知らせるシステムが開発されています。不審者《ふしんしゃ》を発見したときや危険エリアに人が侵入《しんにゅう》したとき、万引きなどの不審《ふしん》な行動を見つけたときなどに人間のオペレーターに知らせ、未然に事件や事故を食い止めることにつなげます。また、子どもが危険な場所に入ってしまったときに、警告メッセージを鳴らしたり保護者に知らせたりする〝見守り〟にも活用されています。

●自然災害への備えや被《ひ》災《さい》時《じ》の対応

年々、大規模な自然災害が増加するなか、その対策にＡＩが活用されています。たとえば、過去の台風や津波《つなみ》のデータを学習したＡＩにそれらの到来《とうらい》を正確に予測させ、早めの備えや避難《ひなん》に役立てます（津波《つなみ》防災については富士通《ふじつう》・竹内駿《たけうちしゅん》さんのドキュメント「20ページ」でくわしくふれています）。被災状況《ひさいじょうきょう》をいち早く調べるためのＡＩシステムも開発されています。ドローンで被災《ひさい》地《ち》を空から撮影《さつえい》し、ＡＩを使って被災《ひさい》の程度を判断するシステムはその一例です。被災状況をスピーディに調べ、保険金の支払《しはら》いを早めるなどの成果が出ています。

●クレジットカードの不正利用の検知

日本でもキャッシュレス決済が普及《ふきゅう》しつつあるなか、不正利用による詐欺《さぎ》被害《ひがい》も深刻な問題です。そこでクレジット会社の多くは、ＡＩに過去のクレジットカードの不正取引のデータをあらかじめ学習させています。あやしい取引が行われたさいには、学習結果をもとにそれが不正かどうかを瞬時《しゅんじ》に見抜《みぬ》くシステムを導入しています。

●SNS（ソーシャル・ネットワーキング・サービス）の投稿《とうこう》を監視《かんし》

SNSは便利で楽しい反面、不適切な投稿《とうこう》で人を不快にさせたり傷つけたりするリスクもありますね。そこで、投稿《とうこう》の文章や画像などを分析《ぶんせき》し、不適切な投稿《とうこう》を発見するのにAIが使われています。問題のあるコメントを見つけ出し、ユーザーが投稿《とうこう》する前に警告するシステムは、いわゆる〝ネットいじめ〟を防ぐ効果が期待されています。

ますます進むAIの開発とビジネスへの活用

ふだんの暮《く》らしで存在感を増してきているAIは、ビジネスの世界にはなくてはならない存在になりつつあります。AIの研究開発を主導しているのはもちろんIT業界です。GAFAと呼ばれるGoogle、Apple、Facebook、Amazonをはじめとする海外の大手IT企業《きぎょう》だけでなく、NEC、富士通、日立《ひたち》、NTTといった日本の大手IT企業《きぎょう》も、独自のAIシステムを開発し、製造業や金融業《きんゆうぎょう》をはじめ多くの産業のユーザー企業《きぎょう》に、そのシステムを提供しています。また、大手IT企業《きぎょう》だけでなくベンチャー企業《きぎょう》でも独自のAIを開発しています。さらにトヨタ自動車のような大きなメーカーでも大学と共同で研究所や部門を設立し、AIの研究開発を進める動きがあります。

人間の脳が計り知れない能力をもつように、ＡＩの活用の仕方は産業によって特色があり、可能性は無限大です。日々、多くのイノベーションが生まれています。

●社会的な期待も大きい自動運転

世界の自動車産業で特に力を注いでいるのが、自動運転システムの開発です。ＡＩを活用することで、周囲を認識したり、歩行者やほかの車がどのように動くかを予測します。また、リスクを回避《かいひ》しながら最短経路で目的地までたどりつけるような計画性も期待されています。トヨタは、大手通信企業《きぎょう》と協力してインターネットに接続した「コネクテッド・カー」の開発に取り組んできました。実現すれば、たくさんのデータが蓄積《ちくせき》され、自動運転のＡＩシステムに大いに活用できます。トヨタが開発中の「ウーブン・シティ」は、〝人〟と車や建物などの〝モノ〟とインフラなどの〝サービス〟がつながった次世代都市です。ＮＴＴと協力し、ＮＴＴの強みである通信技術を駆使《くし》し、もはや車という枠《わく》を超《こ》えた自動車産業の形を生み出そうとしています。

●コールセンター

企業《きぎょう》のコールセンターでは、客がオペレーターに電話で問い合わせている音声をＡＩが聞き取り、回答の候補を提示するシステムが導入されています。人間の言葉はあいまいで、状況《じょうきょう》によって解釈が変わってしまうこともあります。そこで、そのような言葉がもつ意

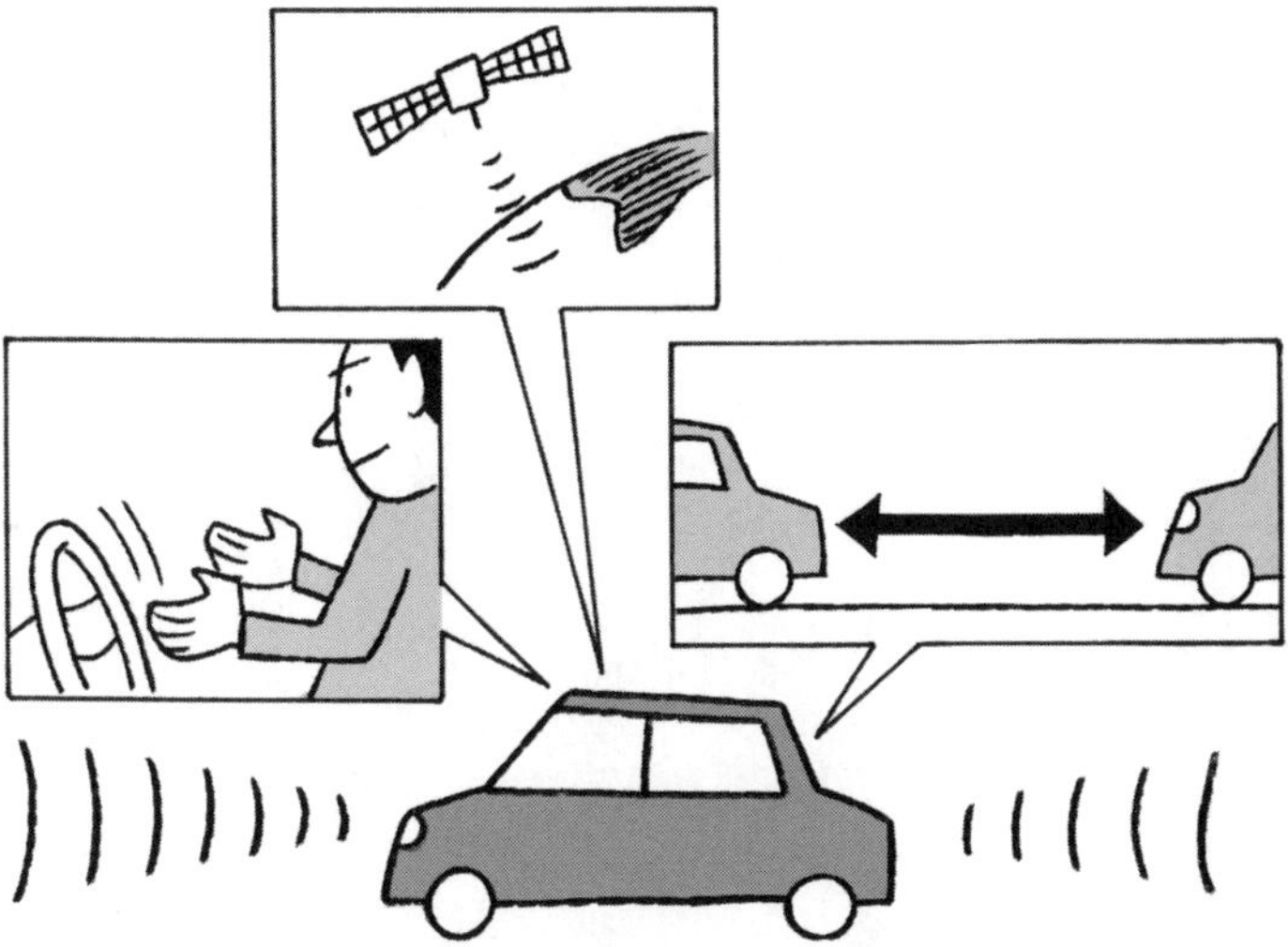

味を正しく解析《かいせき》する自然言語処理というＡＩ技術を使っています。チャットサービス上でＡＩオペレーターと直接やりとりを行うカスタマーサービスも増えていますね。これも、自然言語処理技術のひとつの活用例です。

●商品の売れ行きや来客数を事前に予測

スーパーマーケットで売れる商品の種類や数があらかじめわかっていたら、売れ残りの商品の廃棄《はいき》を減らせます。レストランに来る客の数や来店の時間帯がわかっていたら、従業員を必要な人数だけ配置できます。曜日、天気、時間帯などによって売れ行きがどうだったか、過去のデータをＡＩに学習させることで、どのような商品がどのくらい売れるのか、何時に何人くらい来店するのかを日常的に予測します。

●不良品や設備の不具合を発見

工場では、製造ラインにカメラを設置し、撮影《さつえい》された材料や製品の画像からＡＩが画像認識の技術で不良品を見分けるシステムが導入されています。また、施設内《しせつない》に設置したカメラの画像から設備のひび割れを見つけたり、音声認識の技術で設備の異常音を検知したりするＡＩもあり、設備点検の自動化にも貢献《こうけん》しています。

●採用面接でＡＩ面接官

社員やアルバイトの採用に、企業《きぎょう》はたくさんの時間や労力を費やしています。そこで、人事担当者に代わってＡＩが面接を行うシステムが開発されています。スマートフォンなどを通してＡＩが求職者に質問し、やりとりの映像からＡＩが回答を分析《ぶんせき》します。さらに、分析《ぶんせき》結果をまとめた評価レポートを作成してくれるので、人事担当者はこれをもとに採用の合否を決めます。特に大勢の応募《おうぼ》がある大企業《だいきぎょう》では大幅《おおはば》なコスト削減《さくげん》が見込《みこ》めますし、遠方からでも挑《いど》みやすいなど求職者側にもメリットがあります。

●匠《たくみ》の技をＡＩで再現

農業、製造業、建設業など、ベテラン技術者の経験や勘《かん》を必要とする産業はたくさんあります。近年ベテラン技術者が減り、後を継《つ》ぐ若者も少なくなっているなか、そのノウハウをデータ化してＡＩに学ばせ、業務をサポートする動きがあります。たとえば、米農家の栽培《さいばい》ノウハウをＡＩに学習させ、収穫《しゅうかく》量を増やしたり栽培《さいばい》のコストを減らそうという取り組みがあります（くわしくはミニドキュメント［82ページ］で紹介《しょうかい》しています）。またタクシーの需要《じゅよう》を予測するＡＩを使うと、新人ドライバーもベテランドライバー並《な》みに乗客を見つけられるようになるといいます。

シンギュラリティー（技術的特異点）の予測

紹介《しょうかい》してきたようにＡＩの存在感がますます大きくなるなか、さまざまな技術が融合《ゆうごう》し、コンピューターの性能が向上すると、人工知能の知的水準が人間の知能を超《こ》えるともいわれています。この時を、シンギュラリティー（技術的特異点）といいます。２００５年、アメリカの思想家でＡＩ研究者のレイ・カーツワイル氏は、シンギュラリティーは２０４５年ごろに訪れると予測しました。ほんとうに起こるのかは誰《だれ》にもわかりませんが、技術の発展のスピードはとても速く、シンギュラリティー説を夢《ゆめ》物語にさせないパワーをもつ、日本を代表するＡＩ研究者の松《まつ》尾《お》豊《ゆたか》氏もそのように話しています。

シンギュラリティーの議論のなかで、人の仕事がＡＩに置《お》き換《か》わるという少しネガティブなトピックがあります。２０１３年にイギリスのＡＩ研究者のマイケル・オズボーン氏が、７００種類以上の仕事について10～20年後にＡＩに置《お》き換《か》わる確率を発表し、大きな反響《はんきょう》を呼びました。ＡＩは、手順やルールがはっきりした仕事が人より得意なので、データ入力、組み立て、修理、販売《はんばい》、一般《いっぱん》事務のような仕事がＡＩに置《お》き換《か》わるというのです。これにより仕事がなくなり生活に困る人が現れることを心配し、国民一人ひとりに生活に最低限必要なお金を給付するベーシックインカム（最低限所得保障）の構想も出てきています。

でも、こんな考え方もあります。ＡＩが人の仕事をやってくれる分、空いた時間を人にしかできないクリエーティブな仕事や仕事以外の時間に充てる、という発想です。人類は、採取・狩猟《しゅりょう》の時代に始まり、農耕の時代、産業革命、情報革命とこれまでにいくつもの大きな変化を経験してきました。その都度うまく順応し、新しい仕事を生み出し、より豊かな生活を築いてきました。長い目で見れば、ＡＩが人類の生活を破壊《はかい》するというより、ＡＩによって新しい価値が生まれ、明るい未来が来ると考えるほうが自然だという専門家も少なくありません。

ＡＩにかかわる倫理《りんり》

ＡＩの先に明るい未来があるとはいえ、ＡＩは自律性（自分で自分の行動を決定する能力）が非常に高いのが大きな特徴《とくちょう》です。その行動について誰《だれ》が責任をもつのかはきちんと考えなければいけません。

図表3 アシモフのロボット三原則

第1条	ロボットは人間に危害を加えてはならない。また、その危険を看過することによって、人間に危害を及ぼしてはならない。
第2条	ロボットは人間にあたえられた命令に服従しなければならない。ただし、あたえられた命令が、第1条に反する場合は、この限りでない。
第3条	ロボットは、前掲第1条および第2条に反するおそれのないかぎり、自己をまもらなければならない。

（『われはロボット』アイザック・アシモフ著／早川書房より）

それについて考えさせられる例が、マイクロソフトが開発し2016年に公開した会話AI「Tay（テイ）」です。若いアメリカ人女性という設定で、SNSのツイッターで人間のユーザーとやりとりし、会話を覚えるようにつくられました。リリース直後はよかったのですが、しばらくすると政治的な発言や下品で差別的な発言をくり返すようになりました。あっという間にネット上で炎上《えんじょう》し、わずか16時間で停止に追《お》い込《こ》まれました。

この問題の責任は誰《だれ》にあるでしょう？　Tayには責任はとれませんから、開発したマイクロソフトでしょうか？　悪質な発言を教えたユーザーでしょうか？　このような問題を考えていくうえで、アシモフのロボット三原則はヒントになるかもしれません（図表3）。1950年、SF作家のアイザック・アシモフは、将来ロボットと人間が衝突《しょうとつ》することを見越《みこ》して、ロボットが人間社会のルールをある程度受け入れる必要がある、と唱えました。同様のことがAIにもいえそ

図表４ 人間中心のAI社会原則

1．AIは人間の基本的人権を侵さない
2．誰もがAIを利用できるように教育を充実
3．個人情報を慎重に管理
4．AIセキュリティーの確保
5．公正な競争環境の維持
6．AIを利用した企業に決定過程の説明責任
7．国境を超えてデータを利用できる環境を整備

（「内閣官房ホームページ」より作成）

うです。

ＡＩの倫理面《りんりめん》に関して世界で議論が進展していますが、日本でも２００９年に政府が人間中心のＡＩ社会原則をまとめました（図表４）。Ｔａｙの例にも関連しますが、６番目のＡＩの説明責任については特に注目されており、今後も議論の余地がありそうです。この原則をもとにＡＩに関する法律がつくられていくので、ＡＩエンジニアをめざすみなさんもぜひ考えてみるといいですね。

最近では、ＡＩを搭載《とうさい》し人の判断なしに攻撃《こうげき》できる自律型ロボット兵器（ＡＩ兵器）への懸念《けねん》も膨《ふく》らんでいます。アメリカ、中国、ロシアでは、ＡＩ兵器がすでに開発されているといわれています（『防衛白書』２０１９年）。ＡＩ兵器をつくる技術が存在する一方で、それを取《と》り締《し》まるはっきりとしたルールはありません。世界各国内で議論する必要に迫《せま》られています。

図表5 人工知能の倫理指針

1．人類への貢献
2．法規制の遵守
3．他者のプライバシーの尊重
4．公正性
5．安全性
6．誠実な振る舞い
7．社会に対する責任
8．社会との対話と自己研鑽
9．人工知能への倫理遵守の要請

（人工知能学会より抜粋）

一方、日本ではＡＩのビジネスでの活用が始まったばかりで、軍事利用への議論はほとんどされていません。

日《に》本《ほん》人《じん》工《こう》知《ち》能《のう》学《がっ》会《かい》（日本で第一線で活躍《かつやく》するＡＩ専門家の団体）の倫理《りんり》委員会が公表している人工知能の倫理《りんり》指針（図表５）では、ＡＩの専門家が社会の声に耳を傾《かたむ》け、対話をしながら研究を進めていくことが大切だと強調しています。私たち一人ひとりが、自分のこととして問題と向き合っていく必要がありそうです。

AIエンジニアの仕事

相手の産業の課題を見つけてAIによる解決策を提供する

AIエンジニアとは?

AIエンジニアの役割は、社会やビジネスの課題をAIを使って解決する方法を考えることです。AIはこれまで約60年の研究の時代を経て、その成果がようやく現実の世界で活用され始めています。15年ほど前まではAIにかかわる職業はほとんど研究者でしたが、ここ数年でAIエンジニアという仕事が新しく定着してきています。そして、今もっとも必要とされている職業のひとつでもあります。

AIエンジニアは、業界内ではデータサイエンティストや機械学習エンジニアと呼ばれることもあります。データサイエンティストは、データからビジネスチャンスを探すコンサルタント的な仕事で、AIを活用して大量のデータを分析《ぶんせき》します。機械学習エンジニア

図表6 AI人材のタイプと人数分布のイメージ

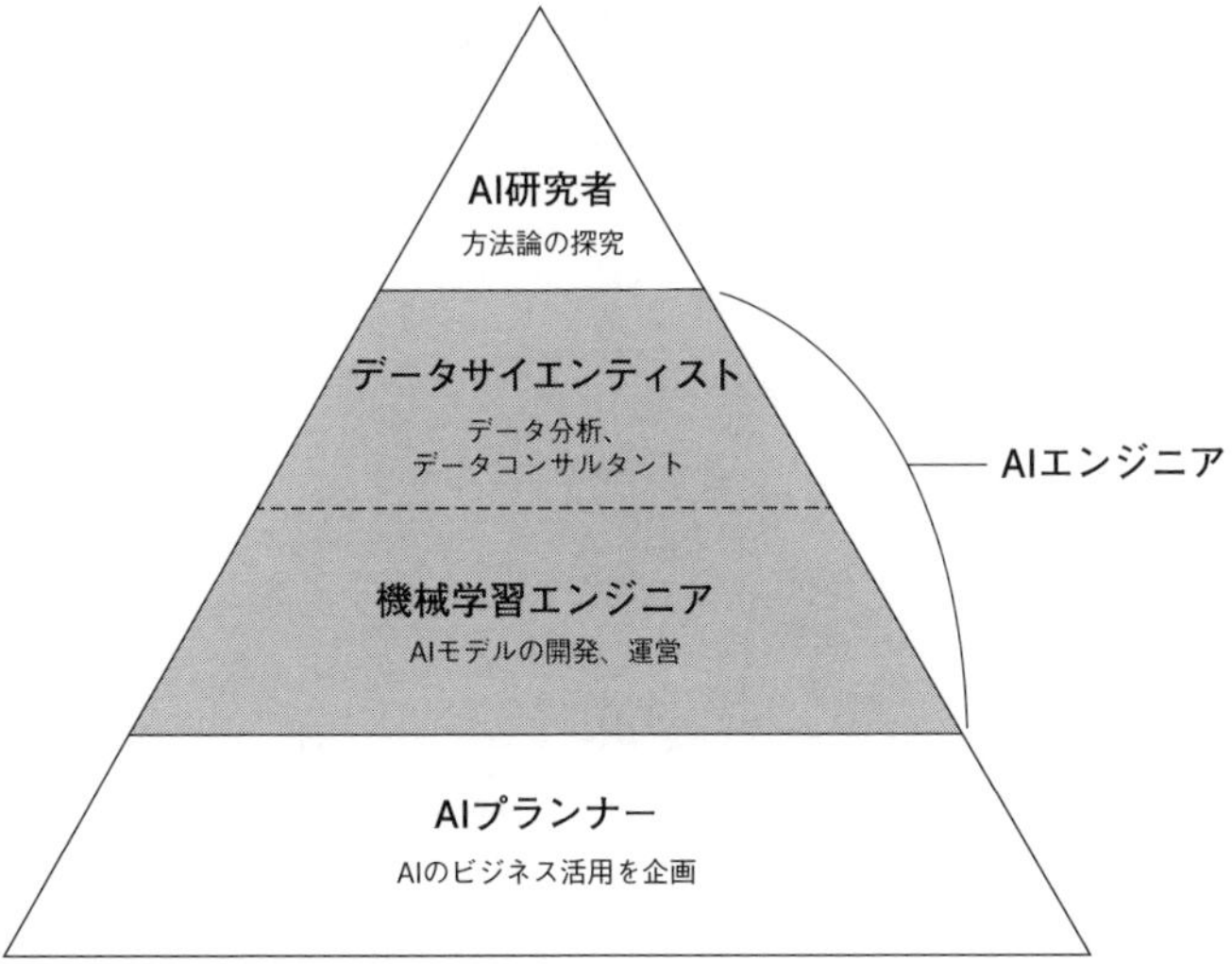

は、データ分析《ぶんせき》を行うためのＡＩにデータを学習させてＡＩをつくり育てていくのが仕事です。実際の仕事の現場でははっきりした境界はなく、一人のＡＩエンジニアが両方の業務に取り組むことも多いようです。

ＡＩ研究者は、学問としてのＡＩ分野をリードしていく人です。ディープラーニングのような方法論を築き、研究成果として世界に発信していきます。研究者がつくった方法論を、ＡＩエンジニアが社会のために使いこなしていくというイメージです。ＡＩ研究者は、日本には８００人ほど、全世界でも２万２０００人ほどしかいません（２０１９年現在）。

また、新聞やニュースなどではＡＩ人

材という言葉もよく使われていますね。ＡＩ人材は、技術職であるＡＩエンジニアやＡＩ研究者に加え、ＡＩプランナーを含《ふく》みます。ＡＩプランナーは、ＡＩを活用して新しい製品やサービスを生み出すための基礎《きそ》知識をもつ人です。社会をよくするためにＡＩをどのように役立てられるのか、アイデアを出すことが役目で、ＡＩエンジニアや研究者のような高い技術力は求められません。２０１９年、日本の政府は２０２５年までにＡＩ人材を25万人育成するという目標を発表しました。各タイプの人数分布は、図表6のピラミッドのようなイメージです。

ＡＩプロジェクトの特徴《とくちょう》と流れ

実際、ＡＩエンジニアの方々にお話をうかがってみると、それぞれ仕事の内容はまったく異なり、ＡＩエンジニアの数だけ仕事の種類もあるように感じました。共通していたのは、プロジェクトチームを組み、ほかの役割のメンバーとコミュニケーションを密にとり、協力し合いながら業務を行っていたことです。プロジェクトはどれも特徴《とくちょう》があり一概《いちがい》に語ることはできませんが、ここではＡＩエンジニアがたずさわるプロジェクトのタイプとして自社開発と受託《じゅたく》開発の二つに大きく分けて見ていきましょう。

①自社開発

自分の会社の商品となるサービスや、その土台となる技術を開発します。身近な例では、自動車会社が自社で開発する自動運転車用のＡＩを開発するとか、ＡＩスピーカーをつくる会社が音声認識に特化したＡＩを開発するなどです。ひとつの技術分野を深掘《ふかぼ》りしていくので、その分野の専門性を高めることができます。じっくりとひとつの分野を究めたい人に向いています。ドキュメントに登場したＮＴＴの吉田大我《よしだたいが》さんは、画像認識やレコメンド機能といった技術を研究し、サービスとして使える形に開発する二つの段階にかかわっていました。

・研究段階の仕事　論文などから情報を入手し、新技術のアイデアを出します。ある程度アイデアが練られたら実際にプログラムをつくり、そのアイデアを実現できるか実験をします。試行錯誤《さくご》をくり返し、うまくいけば特許の申請《しんせい》に進みます。また、論文を書いて同じ分野の研究者や技術者に成果を発信します。

・開発段階の仕事　基盤《きばん》となる技術ができあがったら、それをサービスとして使えるようにしていきます。たとえばＮＴＴの吉田さんのように画像認識の技術をスーパーマーケットのレジに展開するのが開発です。利用者にとって使いやすいサービスに展開できるよう、実際に使われる現場に足を運び、利用する立場にあるユーザーの人たちの声を聞くこともあります。できあがったサービスを、展示会で企業《きぎょう》などに紹介《しょうかい》することも重要な仕事です。ビジネスチャンスにつなげることはもちろん、利用する側の反応を見ることで技術のさらなる向上に役立てます。

実際には、研究と開発は同時進行することもあり、一度に複数のテーマをかかえていることもあるそうです。

②受託《じゅたく》開発

解決したい課題をかかえた企業《きぎょう》（クライアント）の依頼《いらい》を受け、クライアントが求めるＡＩをつくります。この後のミニドキュメントに登場するＮ２ｉ《エヌツーアイ》の徳住友稜《とくすみともろう》さんやアバナードの古屋容布《ふるやよしのぶ》さんの仕事はこのタイプです。工場での作業を効率よくするためのＡＩや農業で収穫量《しゅうかくりょう》を増やすためのＡＩなど、個々のニーズに応じ、開発は臨機応変に行います。ドキュメントに登場した富士通《ふじつう》の竹内駿《たけうちしゅん》さんの津波《つなみ》防災の産学官プロジェクトは、クライアントからの依頼《いらい》ではないので少しタイプが異なりますが、課題解決に向けた技術開発の流れは似ています。多くのクライアントはＡＩのノウハウをもっていないので、ＡＩエンジニアがプロジェクトをリードしていくという点でも非常に責任の大きな仕事です。

受託《じゅたく》開発のＡＩエンジニアは、企画《きかく》の段階から開発プロジェクトにかかわります。クライアントがかかえる業務上の課題について、クライアントとともにＡＩを使った解決策を考えます。クライアントの業務内容を細かく聴《き》きとり、クライアントさえも気付いていないような具体的な課題を見つけ出すスキルも必要です。企画《きかく》を練り上げたら、ＡＩに学習させるデータや効率よく学習させることができるアルゴリズムを見極め、ＡＩモデルを設計します。何度もテストをくり返し、実際の業務で使える形になったら運用開始です。その後も、計画通りに使えているかどうか、課題は解決できているかの評価を続け、問題があれば対応します。

受託《じゅたく》開発を行う会社のＡＩエンジニアは、ひとつのプロジェクトが終わると別のプロジェクトを割り当てられたり、まったく違《ちが》う分野の複数のプロジェクトを掛《か》けもちすることもあります。農業、製造業、医療《いりょう》、金融業《きんゆうぎょう》……というようにさまざまな産業にかかわることもあります。担当する産業についても学ぶ必要があり、幅広《はばひろ》い知識や経験を身につけることができます。

普及《ふきゅう》・教育活動

ＡＩプロジェクトの進め方やデータ分析《ぶんせき》の方法などを、これからＡＩを活用していきたい人に伝える仕事です。ＮＥＣの森本麻代《もりもとまよ》さんは、さまざまな業種を対象に、ＡＩを活用するための方法を学ぶワークショップを担当していました。ＡＩプロジェクトの現場を知る人が経験を伝え、今後のＡＩ人材を育てていく意味は大きいでしょう。

ミニドキュメント 1 ベンチャー企業で働くAIエンジニア

宇宙物理学者志望からAIエンジニアへ方向転換

取材先提供

N2i《エヌツーアイ》
徳住《とくすみ》友稜《ともろう》さん

飛行機、ロケット、宇宙に興味

名古屋《なごや》市中心部のオフィスビルの一角にあるN2i《エヌツーアイ》。社名に「新しい知識を求めて、革新を起こす（New knowledge ×2 =innovation）」という想いが込《こ》められた、２０１７年にスタートした新しいＩＴ企業《きぎょう》です。ＡＩシステムやウェブアプリケーション（ウェブアプリ）の開発を行うN2iで、創業メンバーの徳住さんはエンジニアとして複数のプロジェクトにたずさわっています。

そんな徳住さんは、N2iに就職するまでは宇宙物理の研究室の学生だったという経歴の持ち主です。海と山に囲まれた香川《かがわ》県の豊かな自然環境《かんきょう》で育ち、外で遊ぶことが大好きだった少年時代の関心は、飛行機に始まり、ロケット、そして宇宙へとシフトしていきました。

高校で理系の進学コースに進み、宇宙開発の仕事にあこがれていましたが、調べてみたところ自分の学力では難しそうだ、と宇宙研究の道へとスパッと方向性を切《き》り替《か》えます。広島《ひろしま》大学の理学部物理科学科に進学し、宇宙誕生《たんじょう》のカギを握《にぎ》るといわれる素粒子《そりゅうし》の研究室で研究活動に没頭《ぼっとう》しました。

目標を達成し、見えてきた新たな道

理学部の7割の学生が大学院に進むなか、徳住さんも大学院進学を決意。選んだ先は、名古屋大学大学院理学研究科。同じ素粒子《そりゅうし》でも、ブラックホールを対象とした理論研究ができる場所でした。2年間の修士課程を修了《しゅうりょう》すると就職する人も多いですが、研究者として生きていくつもりだった徳住さんにとって、さらに3年間の博士《はくし》課程に進むのは自然の流れでした。半年ほどして、研究者としての業績となる第1号の論文を書き上げました。言い表せないほどの達成感と同時に、将来を一変するある考えが頭をよぎります。

「研究者としてやっていけるだろうか……」

研究者の仕事は、研究をして成果を論文に書くことのくり返しです。そんな自分が想像できず、研究生活を続けることへの恐怖《きょうふ》を感じてしまったのです。すぐに大学院をやめて、就職を考えました。理系の大学院生が就職するなら修了《しゅうりょう》したタイミングが狙《ねら》い目《め》といわれるなか、それを逃《のが》した自分はすでに手遅《ておく》れ……。迷っている余裕《よゆう》はなく、いつでもスタートできる状態だったと当時をふり返ります。

「宇宙の理論研究は社会的に浮《う》いているんです。どこに行っても浮《う》いてしまうから、逆にどこへでも行けると思っていました」

ウェブアプリの開発に興味をもって

かなり前向きともとれる発想で職を探しはじめ、まずひかれたのがウェブアプリの開発でした。さっそくプログラミングを勉強してみると、ベースは理学部時代に授業で習った数学です。もっている知識をそのまま活かせました。

また、ちょうど社会的にもＡＩが話題になっていて、どうやら将来性がありそうです。機械学習というＡＩの要素となる技術を独学でかじってみると、理論的な内容がおもしろく、「これだ!」と直感しました。さっそく名古屋エリアでウェブアプリやＡＩをキーワードに探すと、すぐに今の会社にたどり着きました。

「別の道からＡＩエンジニアになるのって特別なことではないと思います。僕《ぼく》のような研究をしている大学院生でＡＩエンジニアをめざす人は多いんじゃやないかな」

初仕事はポンコツチャットボット!?

入社後の初仕事は、雑談チャットボットの開発でした。このプロジェクトは、ある企業《きぎょう》からの依頼《いらい》のなかで、会社内で会議室予約のチャットボットに雑談機能を入れたらおもしろいのでは、というひょんな思いつきから始まりました。

でも、ＡＩに雑談させるのは、実はとても難しいことです。なぜなら、ＡＩは明確な指示に対応するようにつくられているからです。

ディスカッションしながら仕事をすすめるようす　取材先提供

スマートフォンに「○○さんに電話をかけて」、ＡＩスピーカーに「音楽をかけて」という指示が難なく伝わることからも想像できるでしょう。その一方で、「今日はいい天気だね」とか「お腹すいたなぁ」といった私たち人間のとりとめのない会話に対して、ＡＩは自然に受け答えするのが苦手です。

徳住さんはこのプロジェクトで、雑談のデータを集めるところから、実際にＡＩに雑談させるところまで、全部の工程で中心となって開発を行いました。ツイッターのツイートなどインターネットから入手できるデータを使い、人間が日常的にどのように言葉をやりとりしているのかを機械学習の手法で分析《ぶんせき》しました。そのようにしてできあがったシステムにとりとめのない言葉を投げかけたときに、自然なフレーズが返ってくるかをテストするという流れです。

ところが実際にテストしてみると、どんな質問を入力しても「（芸能人の）○○さんって、きれいですね」という回答しか返ってこなかったのだそう。どうやら学習データに問題があったため、そのような回答を学習してしまったそうです。開発自体はとてもおもしろかった半面、完成したときにお客さまがほんとうに満足するのかを最初から考えなければいけないという教訓を与《あた》えてくれた経験でした。

「概念実証」の仕事がメイン

現在、仕事全体の3割くらいを占《し》めるというＡＩ関連の仕事は、企業《きぎょう》から依頼《いらい》を受け、機械学習の手法を使って「概念《がいねん》実証」（ＰＯＣ：プルーフ・オブ・コンセプト）を行うのがメインです。ＡＩを導入したいけれど、ほんとうに効果があるかわからないので、まずは小規模でＡＩを開発し実用できそうかをテストします。

これまでにＮ２ｉが実際に受けた概念《がいねん》実証の依頼《いらい》に、採用面接で優秀《ゆうしゅう》な人材を選考するための顔認証システムの導入テストがあります。この事例では、まず顔の表情と性格のデータを集め、目の動きや話し方からその人の性格を予測するモデルをつくりました。そのモデルに、新たに誰《だれ》かのデータをインプットしたときに、アウトプットとして正しい性格を判断できるかを検証する、この一連の流れを概念《がいねん》実証として行いました。

概念《がいねん》実証は、成果を実際に目で見ることができないところが難しいと徳住さんはいいます。たとえばウェブアプリなら、つくった機能を「動き」としてコンピュータの画面上で見られるうえに、自分で操作できる喜びも加わるので開発には楽しさがあります。一方、概念《がいねん》実証はチャレンジングで好奇心《こうきしん》や向上心を刺激《しげき》してくれるところが醍醐味《だいごみ》でもあるといいます。最近では、ウェブアプリにＡＩを組《く》み込《こ》むものあり、技術やトレンドが目まぐるしい早さで進化しています。会社での一日もあっという間に過ぎてしまうようです。

依頼主とのコミュニケーションが大事

ＡＩエンジニアの仕事を難しくしている要

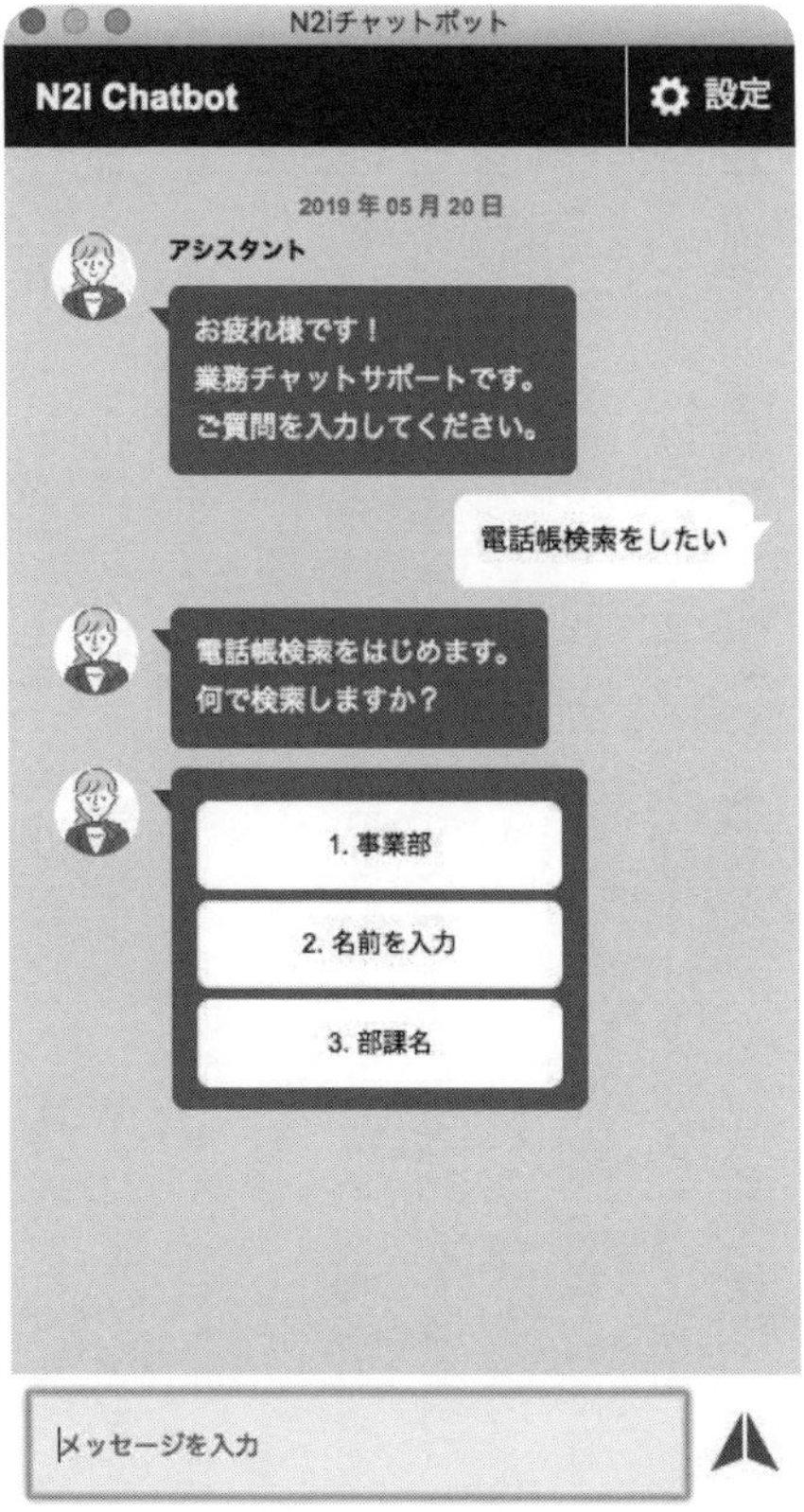

N2i 開発の雑談チャットボットの画面　取材先提供

因のひとつは、仕事の依頼《いらい》をしてくれる顧客《こきゃく》企業《きぎょう》のＡＩに対する知識と期待のギャップではないか、と徳住さんは考えます。ＡＩの導入を希望する企業《きぎょう》のなかには、ＡＩへの期待はとても大きい一方、ＡＩの知識があまりない担当者も多いことがよくあります。その結果、企画《きかく》の段階で描《えが》いていた理想のＡＩと、実際にできあがったＡＩが大きく乖離《かいり》してしまうのです。このギャップを埋《う》め合《あ》わせようとして作業期間が延《の》びてしまっては、顧客企《こきゃくき》業《ぎょう》にとっても自分たちにとってもマイナスです。

　このような状況《じょうきょう》を幾度《いくど》も経験し、徳住さんは顧客企業《こきゃくきぎょう》とのコミュニケーションがとても大事だと感じています。

「エンジニアをめざす人って、コミュニケーションはとらなくていいと思っているかもしれません。でも実際はそんなことありません。ＡＩはウェブアプリと違《ちが》って『動いたからＯ《オー》Ｋ《ケー》』ではなくて、仕組みや機能を理論立てて説明できないとだめなんです」

　説明が面倒《めんどう》だからといって、説明しなくても誰《だれ》もがわかるような無難なやり方だけでは、徳住さん自身のやりがいや進歩につながりません。顧客企業《こきゃくきぎょう》に理解してもらいつつ、自分にとってもチャレンジングな「ちょうどいい」解決策を模索《もさく》する、その絶妙《ぜつみょう》なバランスを見極めるのは難しさであり、やりがいでもあります。

成果主義より好奇心旺盛の人

　穏《おだ》やかな印象の徳住さんですが、実は強烈《きょうれつ》な好奇心《こうきしん》の持ち主。

「体の動きはそれほど活発ではないですけど、

頭の動きはどんどん前に行くタイプです」

確かに、結果が予測できないことに対してトライアンドエラーで作業していくＡＩエンジニアは、成果主義の人より好奇心旺盛《こうきしんおうせい》の人が向いているかもしれません。徳住さんの仕事に対する姿勢は、会社の方針とも合っているようです。

「Ｎ２ｉのようなスタートアップ企業《きぎょう》では、一人ひとりに任される仕事の幅《はば》が広いので、いろいろなことをやりたい自分には向いていると感じています」

その好奇心《こうきしん》は、世界中の論文を読みあさって最新動向をチェックし、どんどん仕事に取り入れていく原動力となって発揮されています。そうやって進歩に追いついていかなければ、「生きていけない」と徳住さんは断言します。

世間の反応にも敏感《びんかん》です。

「少し前までは世間がＡＩに舞《ま》い上《あ》がっていて、企業《きぎょう》からの依頼《いらい》も『何かおもしろいことできますか？』というレベルのものが多かったですが、最近では少しずつ依頼《いらい》が具体的になってきているように感じます」

このような変化を「いい傾向《けいこう》」と受け止め、これからはもっと実用的なＡＩの用途《ようと》を考える時期にくると見ています。

「ＡＩって広い概念《がいねん》で、夢《ゆめ》がのっていると思います。人が人工知能をつくりたいと願うのは自然な流れで、技術の進歩がつまりは人工知能の実現につながっていくんだと思います」

ＡＩに対するシンプルで本質的な想いを語る表情には、研究者を志していた徳住さんの一面が垣間見《かいまみ》えたようでした。

ミニドキュメント 2 外資系企業で働くＡＩエンジニア

ＡＩを活用して米づくりの生産効率をアップ

アバナード
古屋《ふるや》容布《よしのぶ》さん

農家の収入アップをめざして

都心エリアにそびえ立つ高層ビルのワンフロアに、古屋容布さんがエンジニアとして働くアバナードがあります。２０００年にアメリカで誕生《たんじょう》した会社で、世界中の企業《きぎょう》のデジタル化を主な事業としています。今、ビジネスはデジタル化なくして生き残ることが難しくなっています。その傾向《けいこう》は、農業の世界でも色濃《いろこ》く現れてきています。古屋さんは、そのなかでも特に注目される「ＡＩを活用した農業のデジタル化」にたずさわっています。

「農業のなかでも、米です。実は、米栽培《さいばい》にＩＴはあまり活用されてこなかったんですけど……」

そう話すように、これまで米農業は機械化

やIT化が遅《おく》れ、生産性も競争力も低い分野でした。しかし、その状況《じょうきょう》を一変させているのが、担い手不足の問題です。2015年時点で、日本で農業に従事している人は米農家も含《ふく》め約200万人で、年々減り続けています。そのうち50歳《さい》未満の若手は全体の約1割に過ぎません。その理由のひとつが、収入の低さです。

「現場の方に聞くと、専業の米農家の方は10年かけてプロになって、平均年収が300万円ほどだそうです。投資対効果の低さは深刻です」

古屋さんによれば、ネックとなっているのが経費です。特に農薬がその多くを占《し》め、売上の7割にもおよびます。この状態を放置して米をつくる人がいなくなったら、米を主食とする日本人の食卓《しょくたく》にも大きく影響《えいきょう》します。

このことは、深刻な社会問題として受け止められていて、政府は2025年をめどに農業従事者全体の所得を倍に増やすという目標を掲《かか》げているほどです。

この危機的状況《じょうきょう》のブレークスルーになると期待されているのが、AIを含《ふく》む最新IT技術です。古屋さんは自身のたずさわるプロジェクトについてこう話します。

「AIを活用して米栽培《さいばい》のコストを抑《おさ》えることを目的としています。その結果、農家の収入アップをめざしています」

その軸《じく》となるのが、「人間が覚えるところをAIに覚えさせる」という考え方です。

熟練農家のノウハウをAIが習得

農業は不確定要素が多い産業です。作物の病気、雑草、天候など、毎日が自然との闘いです。田植えの時期や水やり、肥料や農薬をまく場所やタイミングなど、長い年月をかけて培《つちか》われる経験と勘《かん》による匠《たくみ》の技があってこそ成り立つ、きわめて職人色の強い仕事です。そこで、経験や勘《かん》ではなく、確かな情報（データ）を集めてＡＩに学習させ、効率アップや生産性アップを図ろうとしているのです。

「実現されれば、10年もの修業も必要なくなるでしょうね。人から人へ伝えるかわりに、ＡＩに伝えてもらいましょうということです」と古屋さん。

そのカギとなるのが、ＡＩに学習させるための分析《ぶんせき》に使うデータです。気温、日照時間、水はけ、田んぼの養分、米の生育状況《じょうきょう》など多《た》岐《き》にわたります。農家の方は、これらを目で見たり肌《はだ》で感じたりしながら、田植えや収穫《しゅうかく》の時期を決め、肥料や農薬のまき方を調節するといった作業に反映してきました。

一方、古屋さんのたずさわるプロジェクトでは、人の感覚に頼《たよ》らずに最新のセンサーやドローンを使います。遠隔《えんかく》でも使えるセンサーで田んぼの温度を測るしくみや、カメラを搭載《とうさい》したドローンで稲《いね》の生育状況《じょうきょう》を撮影《さつえい》する仕組みなども整っているそうです。感覚に頼《たよ》っていた情報が精度の高いデータとなり、分《ぶん》析《せき》を担当する古屋さんのところに送られてきます。

「コスト削減」ができるかを実証

このプロジェクトで古屋さんが担当する業務は、①目標を達成できそうかを小規模のテストで確かめ、②集めたデータを分析《ぶんせき》してＡＩを構築し、③実際の農作業で利用できる形にすることです。今は①の段階で、「概念《がいねん》実証」（POC：プルーフ・オブ・コンセプト）というステップです。プロジェクトの最終的な目標である「コスト削減《さくげん》」をAIの導入によって実現できそうか、事前に把握《はあく》するためにテストを行います。スモールスタート（小さな第一歩）といったところでしょうか。もし効果がないとわかればプロジェクトを中止する判断にもつながる、とても大切なプロセスです。

そこで最大の難所がデータベースづくりだといいます。データベースに含《ふく》めるデータは、センサーやドローンで入手したデータばかりでなく、それらを分析《ぶんせき》した結果も対象になるというきわめて複雑なものです。どのデータを含《ふく》めるかの選別は腕《うで》の見せどころです。このデータベースをもとに、AI導入でコスト削減《さくげん》が実現できるかについて、深層学習など

このような田んぼをドローンで温度測定したり、撮影したりしてAIに学習させる（イメージ写真）

複数の手法を検討しながらテストを行います。

ただし、この作業を行っているあいだにも、技術はどんどん進化し続けます。プロジェクト開始当初に比べ、1年半が経過した今では、入手できるデータの精度がぐんとアップしているそうです。それに加え、プロジェクトの目標も少しずつ変わっていくといいます。エンジニアは、流動的な状況《じょうきょう》にも柔軟《じゅうなん》に対応していくことが大切だと古屋さんは強調します。

農家がＡＩを使いこなせることも重要

このようにプロジェクトはひと筋縄《すじなわ》にはいきませんが、ＡＩ導入による米づくりコストの削減《さくげん》は十分可能だと古屋さんは確信しています。しかしほんとうに難しいのは、誰《だれ》がそれを担保するかという責任問題だといいます。

たとえば、天災など予期せぬことが発生し、もし収穫量《しゅうかくりょう》がゼロだったら誰《だれ》が経済的な損失を補うのでしょうか？

「ＡＩに、『なんで仕事できないの？』って言えないですよね。だからといって、開発担当者も責任をとれません」

実際に農業の現場で活用していくには、ＡＩの質を高めていくだけでなく、ユーザー側もシステムを正しく使いこなせることが重要、と古屋さんは運用面についても考えを巡《めぐ》らせています。

「最終的には農業のかたちを変えてくわけですから。あいだに人が入っていたのをＡＩが取って代わってやるようにするわけですから」

ＡＩエンジニアとしての枠《わく》を超《こ》え、課題に対しての広い視野や責任感をもって取り組むことの重要性がうかがえます。

アメリカの大学で電気工学を専攻

古屋さんは長野《ながの》県に生まれ、14歳《さい》から25歳《さい》までをアメリカ・カリフォルニア州で過ごしました。暮《く》らしていた地区には韓国《かんこく》や台湾《たいわん》などアジア地域出身の家族も多く、多様性豊かな環境《かんきょう》だったといいます。本人いわく、英語はぜんぜんだめでしたが、ほかのアジア人同様、算数や数学が得意でした。

　高校卒業後は、ロボット工学を学べるコミュニティー・カレッジ（短大）から大学に編入し、電気工学を専攻《せんこう》しました。はじめての就職先は、会計ソフトを手がけるITベンチャーでした。数年間の経験を積んだころ、

大学で電気工学を学んだ古屋さん　取材先提供

「培《つちか》ったノウハウで日本の会社に貢献《こうけん》したい」と帰国する決断に踏《ふ》み切り、大手の日系メーカーに転職します。しかし、「海外人材」として採用されただけで、そのスキルを認めてもらえない雰囲気《ふんいき》に物足りなさや憤《いきどお》りを感じ、4年勤めた後に退職を決意しました。

古屋さんが現在勤めている外資系企業《きぎょう》のアバナードは、向上心のある人が成長していける環境《かんきょう》が気に入っているといいます。「キャリアアドバイザー」と呼ばれる人事担当者と定期的に面談を行い、興味のあることや挑戦《ちょうせん》してみたいことを伝えると、要望に沿ったプロジェクトに振り分けられていく仕組みです。「新しいことをやってみたい、と手をあげればやらせてもらえます」

AIエンジニアの将来について

AIエンジニアをはじめITの仕事は、技術を提供する立場からプロジェクトマネジャーなど業務内容の幅《はば》が広く、将来の選択肢《せんたくし》が広がるため、ひとつのキャリアプランとしていいのではないかと感じているといいます。最近では、海外などのビジネスとシステム開

AIエンジニアをめざす人には「創造性」が必要、と古屋さん

発の橋渡《はしわた》しをする「ブリッジエンジニア」の需要が高まっていて、古屋さんも視野に入れているそうです。

その一方で、AIエンジニアの将来については このように話します。

「AIはもう少し使いやすい形に変化していくと思います。誰《だれ》もが簡単にAIを使えるようになったら、AIエンジニアは存在価値が薄《うす》まるかもしれません」

実際に、グーグルはAIの研究開発成果をインターネット上で公開し、誰《だれ》もがビジネスに活用できるモデルを提供しています。そんな時代にAIエンジニアをめざす人が必要なのは「創造性」と古屋さんはくり返します。自身も大学時代からIT業界での起業をめざしているそうで、友人とチームを組み、新たなサービスを創り出す活動を今も続けています。

「人びとの暮《く》らしをよくして、自身も楽しく暮《く》らしたい」という気持ちを原動力に、自分のテクノロジーの知見を高めていきたい、と将来に目を輝《かがや》かせる姿が印象的でした。

ミニドキュメント 3 大学のAI研究者

著者撮影

冬の時代を越えAIの研究成果を地域の産業に活かす

工学博士・公立《こうりつ》はこだて未来《みらい》大学《だいがく》教授《きょうじゅ》
松原《まつばら》 仁《ひとし》さん

手探り状態でAIの勉強を始める

北海道《ほっかいどう》函館《はこだて》市。函館駅から10キロメートルほど離《はな》れた広大な自然の中に、ガラス張りでスタイリッシュな公立はこだて未来大学の校舎があります。「オープンスペース、オープンマインド」の精神をベースに、自由で創造性あふれる研究や教育活動が、大学のあちらこちらで行われています。ここで教授、そして副理事長も務める松原仁さんは、日本のAI研究をリードしてきた研究者の一人です。

AI研究者としてのキャリアのきっかけは、まだ幼稚園児《ようちえんじ》だったころに見た鉄腕《てつわん》アトム。「アトムを作った天馬《てんま》先生にあこがれていました」という松原さんは、東京《とうきょう》生まれ、本が大好きで数学が得意な少年でした。両親や友人の影響《えいきょう》で中高一貫《いっかん》の進学校に通うことになり、人の心や知能に興味を抱《いだ》くようになりました。そこで進学先に選んだのが、東京大学理学部の情報科学科でした。ＡＩを勉強し始めたのはそのころですが、ほとんどが手探り状態でした。

「日本にはＡＩの専門の学者もいなかったし、授業もなかったので、ＡＩは全部独学です」

東大卒業後、同大学大学院に通っていた1980年代を松原さんはこうふり返ります。教授たちはＡＩの可能性に対して懐疑的《かいぎてき》で、「ＡＩなんてやるもんじゃない」と批判されたこともあるそうです。そんななかで強力なモチベーションとなったのが、学生どうしのＡＩ自主ゼミ「アイウエオ」でした。

「土曜の午後、研究室も学科も違《ちが》う学生たちが集まって、ＡＩの本を読んで発表し合う会でした。夏休みには合宿で分厚い本を読んだり。まるで秘密結社のようでした」

直感を信じて将棋プログラミング

その当時から独学で行っていたのが将棋《しょうぎ》のプログラミングです。幼いころから将棋《しょうぎ》が大好きでアマチュア5段の腕前《うでまえ》をもつという松原さんは、チェスがＡＩ研究のきっかけとなったことから、「将棋《しょうぎ》でも絶対いける！　コンピュータが人間を追《お》い抜《ぬ》く日が絶対くる！」という自分の直感を信じていました。

強い将棋《しょうぎ》プログラムをつくることをゴールに掲《かか》げながら、松原さんが実際に行った研究は「将棋《しょうぎ》が強い人と弱い人の考え方の違《ちが》い」を追究することでした。将棋初心者からプロ棋士《きし》までのさまざまなレベルの人に「アイカメラ」という目線を追う特殊《とくしゅ》な装置《そうち》を着けてもらい、「つぎの手」を考えるときに盤面《ばんめん》のどこを見るかを分析《ぶんせき》し続けました。

松原さんの研究をきっかけに多くの研究者が将棋《しょうぎ》を題材としたＡＩ研究に興味をもち、今では将棋《しょうぎ》とＡＩは切っても切《き》り離《はな》せない関係になっています。そればかりでなく、ＡＩそのものの発展にも貢献《こうけん》しています。松原さんの土台づくりがあってこそといえますが、それは簡単なことではありませんでした。

ロボット技術研究のかたわらで

ＡＩ研究を行っていくうえでいちばん大きくのしかかったのが、「ゲーム、つまり遊びを研究にするとは何ごとか」という周囲の冷たく重い圧力でした。大学院時代の恩師も、将棋《しょうぎ》を研究にするのは賢《かしこ》くないという考えでした。研究者としていちばんの業績となる論文が「遊び」についてでは、学会やほかの研究者に認めてもらえないという理由です。しかし、松原さんはそんな批判にも屈《くっ》しませんでした。表ではロボット技術の研究を行い、裏で将棋《しょうぎ》のプログラムを書く、そんな日々が続きました。

転機が見え始めたのは、はじめての就職先である電子技術総合研究所《でんしぎじゅつそうごうけんきゅうじょ》（現産業技術総合研究所《さんぎょうぎじゅつそうごうけんきゅうじょ》）に入所して3年目のことでした。当時、松原さんは大学院での研究経験を活かし、ＡＩで手書き文字を認識する研究を行っていました。そこへ新たに「推論」の研究室が増設されることになったのです。つぎにどの手を指すかを考える将棋《しょうぎ》は「推論」の格好のテーマではないかと考えた松原さんは、さっそく手をあげ、はじめて将棋を公に研究する機会を得たのです。

コンピュータ将棋「あから 2010」がプロ棋士を破った対戦直後の記者会見（右端が松原さん）　取材先提供

しかし、その後も周囲からの批判は続きました。ひどい言葉を浴びせる研究者もいれば、研究費で将棋《しょうぎ》の本を買う許可をとるのもひと苦労だったそうです。それでも心が折れなかったのは、「鈍感《どんかん》だったからかな」と松原さん。

「アイデアのほとんどがうまくいかなくても、0・1％でも見込《みこ》みがあると『お、いけるんじゃない!?』と超《ちょう》楽観的になれるんですね。99・9％無理という現状に鈍感《どんかん》なんです。実はこれって、研究者としては大事なことなんですよ」

AI研究の成果を地域社会で活かす

AIの基《き》礎《そ》的《てき》なことから将棋《しょうぎ》に至るまで、さまざまな研究を経験した電子技術総合研究所から公立はこだて未来大学に移ったのは、大学が開学した2000年のことでした。情報学に特化したこの大学では、この強みを活かした地域連携《れんけい》の研究が盛《さか》んです。

「漁業や交通など、研究成果を社会で活かせるようになったのはこの大学に来てからです」と話すように、松原さんはとてもユニークな研究の数々を手がけています。

その一つが、定置網漁《ていちあみりょう》でマグロの幼魚を獲《と》らないようにする研究です。定置網漁《ていちあみりょう》は、海に網《あみ》を設置し、水面から深さ100メートルあたりを泳ぐサケなどを誘《さそ》い込《こ》む漁です。ここにマグロの幼魚の大群が紛《まぎ》れ込《こ》むことがあります。これは大問題です。というのも、30キログラム未満のマグロの幼魚を獲《と》ると、国際的なルールで厳しく罰《ばっ》せられてしまうのです。そこで防止策として、魚群探知機の超音《ちょう》波波形をディープラーニングで分析《ぶんせき》し、網《あみ》の中のマグロ幼魚を発見する技術を開発しました。

函館の交通を便利にする研究では、人口減少や高齢化《こうれいか》を背景に不便になりつつある地方都市の公共交通を生き返らせようとしています。「スマートアクセスビークルサービス（SAVS：サブス）」という構想を立て、実現に向けて約20年間尽力《じんりょく》してきました。スマホで乗車をリクエストすると、数分で迎《むか》えの車両が到着《とうちゃく》し、行きたい場所まで連れていってくれるシステムです。リアルタイムで全車両の走行ルートを決定するAI技術を確立するためにベンチャー企業《きぎょう》㈱未来《みらい》シェア）も設立し、松原さんが代表取締役《だいひょうとりしまりやく》を務めています。相乗りも視野に入れ、「タクシーより安く、バスより便利な公共共通」をめざしています。

カーリングの戦略を組むＡＩの研究も北海道ならでは。２０１８年オリンピックで活躍《かつやく》した女子カーリングチーム、ロコ・ソラーレで知られるように、北見《きたみ》市ではカーリングが盛《さか》んで、優秀《ゆうしゅう》な選手を多く育てています。

「カーリングは氷上のチェスと呼ばれ、ストーンがいくつか置かれたとき、つぎのストーンをどこに置くと点がとれるかの先読みです。戦略が大事です」と松原さん。過去の試合のデータをＡＩに学習させ、相手チームのくせや傾向《けいこう》を分析《ぶんせき》し、相手チームが苦手とするショットを狙《ねら》うなど勝ちにつながる戦術を組みます。

「めざすのはもちろん、日本チームの金メダルですよ」

小説、コミュニケーションにも挑戦

松原さんは、ＡＩに小説を書かせる研究もリードしてきました。その小説は、２０１６年に星新一賞《ほししんいちしょう》という短編小説の文学賞の一次選考を通過したことでも話題になりました。

これに続き、現在はＡＩ俳句やＡＩ川柳《せんりゅう》を手がけているそうです。何十万句もの俳句や川《せん》柳《りゅう》をＡＩに学習させ、新しい句をつくりだします。小説に比べて文字数が少なく単純なようですが、ほんとうに「いい句」は１００句に１句程度しか生まれないといいます。ＡＩは語句を組み合わせているだけで、いい句とは何かがわからないのです。松原さんは句を評価するＡＩの開発も手がけていますが、なかなか難しいようです。

「コミュニケーション」もＡＩがあまり得意

ではない分野です。松原さんはこれに「人《じん》狼《ろう》」でアプローチしています。人狼《じんろう》はコミュニケーションゲームの一種で、プレーヤー同士の会話から人間チーム内に隠《かく》れた狼《おおかみ》を見つけ出す対人ゲームです。会話のなかにはもちろん嘘《うそ》も含《ふく》まれますが、誰が嘘《うそ》を言っているかを見破るのは、今のAIにはまだとても難しいことだといいます。

つまり、現在のAIは言われたことを正直に信じ、真実を正直に語るので、人狼《じんろう》で勝ち目がありません。そこで、状況《じょうきょう》に応じて嘘《うそ》をつくことも、人がついた嘘《うそ》を見破ることもできる、人狼《じんろう》に強いAIが実現すれば、AIと人間が自然にコミュニケーションできるようになるのではないかと松原さんは考えています。

「人間は相手を気づかった嘘《うそ》を言うでしょう。AIにもそんな能力が備わり、気の利いたことを言ってなごませてくれる友だちロボットが一家に一台入るといいなと思っています」

松原さんは幼いころに抱《いだ》いた鉄腕《てつわん》アトムをつくった天馬《てんま》先生へのあこがれを、今ももち続けています。

今必要とされるのは社会問題の解決

非常に幅広《はばひろ》い分野にたずさわっているので、周囲の研究者からは「いろいろやりすぎ」とからかわれることもあるそうですが、さまざまなテーマをもつことでバランスよく満たされるといいます。

「研究にはそれぞれ性質があって、たとえば将棋《しょうぎ》の研究では新しい技術を追究できる一方、社会貢献《こうけん》には直接つながりません。逆に、交通の研究ではすでに定着した技術を使っていますが、社会貢献《こうけん》につながります」

足りないところを補い合うといった感じでしょうか。

そんなＡＩ研究者でありながら、将来ＡＩエンジニアとなる学生を教育する教育者でもあります。同時に、ＡＩ研究者をめざす学生もサポートします。

「たとえば、『このディープラーニングってまだ改善の余地があるよね』というように、研究課題に向かっていきたい学生は大学院に進み、研究者の道を歩んでいくんですよ」

ＡＩエンジニアとＡＩ研究者の共通点についてはこう話します。

「仕様書に基づいて作業するようなＩＴエンジニアに対して、ＡＩエンジニアは今できないことをできるようにする仕事。その点で、研究者に似ています。ＡＩエンジニアもＡＩ研究者も、アイデアの大部分はうまくいきません。そんなときにめげずにやっていく、という点でも通じますね」

ＡＩの研究が始まって60年ほどたった今、ディープラーニングなどの方法論が確立され、ようやく成果が製品としてビジネスに活用され始めました。今のＡＩブームで特に求められるのは、ＡＩの方法論をうまく使いこなし、社会がかかえる問題の解決策を探っていくＡＩエンジニアです。彼らにとって、視野の広さは重要な要素だと松原さんは考えます。

「知能がテーマだから、心理学や脳科学、言語学、哲学《てつがく》など知能にまつわるいろいろなことに興味をもって学んでほしい。それが間接的にはね返ってきて、自分の財産になると思います」

生活と収入

平均よりかなり高い収入 今後さらにアップの予兆あり

AIエンジニアの一日

この本に登場したAIエンジニアのみなさんに、仕事の日の一日のスケジュールをうかがいました。会社で決められた出退勤時間、担当するプロジェクトの種類や進捗状況《しんちょくじょうきょう》によって、一日の流れが異なるという印象を受けました。会社で会議やデータ解析《かいせき》に費やす日もあれば、取引先などに出向いて会議や研究会を行うこともあるようです。プロジェクトによっては、出向という形でほとんどの時間を取引先で過ごすこともあります。

コンピューターより人とかかわる時間が多い

NECの森本麻代さんのある一日の流れです。

・8時半〜11時　デスクワーク（学会発表の資料作り）
・11時〜12時　打ち合わせ（データアナリティクス研究会の社内事前打ち合わせ）
・12時〜13時　昼休み
・13時〜15時　ディスカッション（次世代ＡＩ活用ワークスタイルについて）
・15時〜17時　会議（チームの定例会議）

会社で過ごす日は、コンピューターと向き合っているというより、打ち合わせや会議などの意見交換《こうかん》に多くの時間を費やしていることがわかります。森本さんは、月1回程度の遠方出張や、年に数回の学会参加など、社外での業務も定期的にこなしています。

AIエンジニアの一日に「典型」はない

富士通の竹内駿さんやスタートアップ企業《きぎょう》のN2i《エヌツーアイ》の徳住友稜さんも、森本さんと同様の勤務形態です。会社にいる日はデスクワークや会議を行い、必要に応じて取引先に出向くというスタイルでした。社外に出る頻度《ひんど》はプロジェクトしだいで、お話をうかがった時点で竹内さんは週に1回、徳住さんはごくたまに、とのことでした。一方、農業関連の受《じゅ》託《たく》開発プロジェクトを担当するアバナードの古屋容布さんは、自分の会社ではなくクライアントの会社に自身のデスクを構えていました。農場に足を運ぶこともあるようです。

ライフスタイルに合わせた働き方を選択《せんたく》できる

NTTの吉田大我さんは、裁量労働制と呼ばれる勤務形態でした。仕事のやり方や労働時間が働く側に委ねられているため、基本的に好きな時間に出社・退社できます。吉田さんは、通勤ラッシュを避《さ》けて午前10時ごろに出社するようにしているとか。退社時間は、そのときの仕事の状況《じょうきょう》により17時から20時くらいとばらつきがあるようです。

大学の研究者の松原仁さんも定時はなく、担当する授業や会議など、その日のスケジュールに合わせて自分で調整できるとのことでした。朝型タイプの松原さんは、午前8時ごろには大学に出勤し、電話や来客のない朝のひとときに集中力を要する仕事を入れるなど、忙《いそが》しいなかでも工夫されていました。毎週遠方への出張があり、スケジュール管理や健康管理など、セルフマネジメントをきっちりとされている印象を受けました。

このようにＡＩエンジニアの一日はメリハリがあり、あっという間に時間が過ぎていくとのことでした。

休日の過ごし方

週末を使って大学院に通いスキルアップをめざしたり、起業に向けての活動を行ったり、または趣味《しゅみ》に没頭《ぼっとう》したり、とそれぞれ充実《じゅうじつ》した時間を過ごされていました。かかえているプロジェクトが忙《いそが》しい時期は時間の面でも気持ちの面でも難しいようですが、全体的に見てワークライフバランスがとれている印象でした。効率化を追求する分野ということもあるのでしょうか、フルタイムで責任のある仕事をもつなかで、上手《じょうず》に時間を使われていました。

ＴＰＯ（時、場所、場合）に合わせた服装《ふくそう》

ＡＩエンジニアに決まった制服はありません。今回のインタビューは、それぞれの職場

にお邪魔《じゃま》したのですが、みなさんカジュアルな服装《ふくそう》で対応してくれました。ただし、取引先で会議やプレゼンテーションを行うときはスーツを着ることもありますし、古屋さんのように農場など野外に出向くことがあれば動きやすく汚《よご》れてもいい服装《ふくそう》が求められます。プロジェクトやその日の業務内容に合わせて柔軟《じゅうなん》に対応します。

一般的《いっぱんてき》に平均よりも収入は高い

ＡＩエンジニアは高いスキルが求められるうえに、世界中で人材獲得《かくとく》の動きが非常に活発です。一般的《いっぱんてき》に、収入は高いといわれています。特に、産業にイノベーションを起こし、会社の利益に貢献《こうけん》するようなＡＩエンジニアの価値は非常に高いといえます。新聞やニュースでも、海外企業《きぎょう》のＡＩエンジニアの年収が何千万円だとか何億円だとか、よく話題になっていますね。実際に日本ではどうなのでしょうか？　今回お話をうかがったなかでは、自身の収入が高いと断言する方はいませんでしたが、まわりの同世代の人たちと比べて低くはないとのことでした。

スキルが評価されにくい日本のＡＩエンジニア

業種別に平均年収を調査している平均年収ドットコムによれば、ＡＩエンジニアの年収は400万～1300万円、働《はたら》き盛《ざか》りの30代で890万円程度、年齢《ねんれい》が上がるにつれて増額すると推測しています。日本人一人当たりの平均年収は約440万円（2018年国税庁発表「民間給与《きゅうよ》実態統計調査」）なので、AIエンジニアの年収は平均より高い傾向《けいこう》があるといえそうです。

しかし、AI先進国であるアメリカや中国では、AIエンジニアで数千万円の年収はめずらしくありません。日本は、海外に比べてAIエンジニアの地位がまだ低く、待遇《たいぐう》も十分といえる状況《じょうきょう》ではありません。海外のように個人のスキルが評価されにくいのも事実です。日本の企業《きぎょう》のなかには、年齢《ねんれい》や勤続年数に応じて給料が上がっていく年功賃金の慣習が色濃《いろこ》く残り、個人の能力を評価する制度が整っていないところも多いからです。現に、日系企業《きぎょう》のAIエンジニアの年収は外資系企業《きぎょう》より数百万円少ないという情報もあります。

それなら海外で働けばいいのでは、と考えてしまいますよね。実はあながち夢《ゆめ》物語でもなく、日本人エンジニアはスキルや納期への意識が高く、海外の企業《きぎょう》に人気があるようです。シリコンバレーのエンジニアに支払《しはら》う額の半分で雇《やと》えるとし、日本にいるエンジニアの採用を増やしている海外企業《きぎょう》もあるようです。日本人エンジニアの活躍《かつやく》の場が広がるのは喜ばしいですが、日本の優秀《ゆうしゅう》なAI人材が海外に流れてしまうリスクもささやかれています。

大手企業《きぎょう》から始まる雇用《こよう》制度の変化

そのような状況《じょうきょう》に日本の大手企業《きぎょう》も気づき始めています。ＡＩエンジニアの年齢《ねんれい》や勤続年数ではなく、スキルアップにともなって昇格《しょうかく》できる制度を検討する企業《きぎょう》もあります。また２０１９年は、ＡＩエンジニアなどの優秀《ゆうしゅう》な人材を獲得《かくとく》するため、「新卒でも年収１０００万円以上で採用する」と発表する日系大手企業《きぎょう》が相次ぎました。日本の経済発展で重要な役割を担う日本経済団体連合会《にほんけいざいだんたいれんごうかい》（経団連）も年功賃金の再検討に向けて動き出すなど、年功賃金がだんだんと廃止《はいし》の方向に向かっているように感じます。今後数年間で状況《じょうきょう》は確実に変わってくるでしょう。ＡＩエンジニア全体のレベルが上がり、企業内《きぎょうない》でのスキル評価のしくみが整ってくれば、平均年収も上がってくるでしょう。

AIエンジニアの将来

今後さらに成長が予測されるが、AI人材は大幅に不足

普及《ふきゅう》が始まったAI

AIを含《ふく》むあらゆるテクノロジーは、登場して期待が高まり、その熱が冷め、だんだん社会に定着していく、という流れで変化すると考えられています。たとえば、日本では2020年からサービスの提供が始まる5G（第5世代移動通信システム）は今が期待のピークです。一方、コンピューターやインターネットはもうすっかり定着したテクノロジーですね。

AIはどうでしょうか？ 2019年10月時点の日本では、AIはいったん熱が冷めた状態の「幻滅期《げんめつき》」に入ったと発表されました（図表7）。期待のピークを過ぎ、単に期待を抱《いだ》いていたところから現実の課題に直面してきたということです。AIで何ができるの

図表7 日本でのAIの成熟度の変化

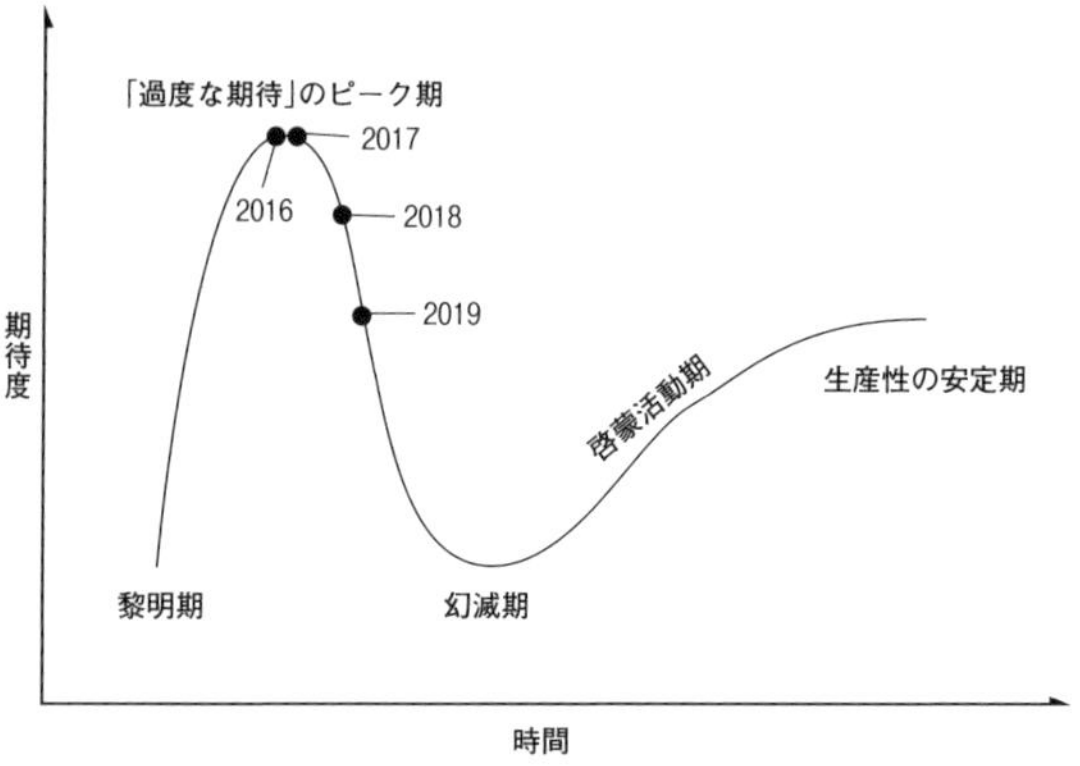

（ガートナー社「日本におけるテクノロジのハイプ・サイクル 2016〜2019 年」より作成）

か、いつ導入するべきかといった具体的なことが議論され、実際にビジネスへの活用も始まっています。

　ミニドキュメントに登場したＮ２ｉの徳住さん（74ページ）も、これまでは「ＡＩを使って何かおもしろいことできませんか？」といった要点が絞《しぼ》れていない問い合わせが多かったのが、最近はより具体的な要求に変わってきているといいます。ＡＩのピークが落ち着いても社会におけるＡＩの理解度が急に上がるわけではないので、ＡＩ社会をリードしていくＡＩエンジニアは今後も確実に必要とされていくでしょう。

今後は活用が進み、成長が予測される

　そんな日本で、ＡＩ関連の市場規模（取引されるお金の総額）はこれから先、急速に拡大してい

くと予測されています。ＡＩをビジネスに活用するための準備（実証実験）をしてきた企《き》業《ぎょう》が、実際のビジネスに活用し始めたからです。技術が進化して精度が向上すれば、活用分野はますます広がります。別の技術と融合《ゆうごう》すれば、さらに幅広《はばひろ》い分野で実用化されていくでしょう。

現に、ＡＩビジネスやＡＩ産業は顕著《けんちょ》に伸びていくという経済予測も出ています。さまざまな産業の動向やニーズを調査している富士《ふじ》キメラ総研《そうけん》は、ＡＩビジネス（分析《ぶんせき》やコンサルタント、ＡＩ環境《かんきょう》を支える製品）の市場規模が２０１５年の１５００億円から、２０３０年には２兆１２００億円にまで増えると予測しています。

ＥＹ総合研究所《そうごうけんきゅうじょ》という別の調査会社は、ＡＩ産業（運輸業、金融業《きんゆうぎょう》、小売業など国内のあらゆる産業で活用されるＡＩ機器やシステムなど）の市場規模が２０１５年の３・７兆円から、２０３０年には87兆円に成長すると予測しています（いずれも２０１９年の予測）。

ＡＩエンジニアは大幅《おおはば》に不足している

今後10年でＡＩの目まぐるしい発展が予想される一方で、日本ではＡＩエンジニアを含《ふく》むＡＩ人材の不足が心配されています。経済産業省の報告では、２０１８年時点のＡＩ人材は約1万１０００人で、約３万４０００人が不足しています。２０３０年にはＡＩ人材は約12万人に増えると予測されていますが、今後ＡＩが普及《ふきゅう》することを考えると、それでも14万５０００人も足りません。

そこで期待されるのが、２０３０年に30代または50代を迎《むか》えるＡＩエンジニアです。２０００年以降に生まれたデジタル・ネイティブと呼ばれる世代と、ウェブエンジニアやシステムエンジニアなどＩＴ関連の職からＡＩエンジニアにスキル転換《てんかん》する世代です。今、若い世代向けには大学などで専門教育の充実化《じゅうじつか》が進んでいます。現役のエンジニアには企《き》業《ぎょう》や教育機関などでの再教育や人材育成が盛んに行われ始めています。

世界ではどうでしょうか？　２０１７年に中国のネットサービス大手のテンセントが行った調査では、世界は１００万人のＡＩ人材を必要としているのに対し、70万人も不足していると報告しています。前述のように日本人エンジニアのスキルや納期への意識の高さは評価されており、日本人の採用を増やしている海外企業《きぎょう》もあるようです。

出《で》遅《おく》れた日本、得意分野で世界に追いつけるか

ＡＩの技術開発面についての今後の見通しはどうでしょうか？　現在、世界全体で見ると、アメリカと中国が進んでいます。企業《きぎょう》ランキング上位のAmazonやGoogleなどの企業《きぎょう》は、日本企業《きぎょう》とは比べものにならないほどの資金をＡＩの技術開発に投資してきまし

た。日本でもＡＩの技術開発が進み始めていますが、ＡＩ先進国というわけにはいかないようです。ミニドキュメントに登場したＡＩ研究者の松原さん（90ページ）は日本のＡＩ研究をゼロからリードしてきた一人ですが、日本はＡＩ先進国に10年くらい遅《おく》れていると話していました。

でも希望がないわけではありません。ＡＩの性能を決めるのは、データとアルゴリズムです。日本の企業《きぎょう》は各事業分野で質の高いデータをもっているといわれています。これを活かせば世界のＡＩ先進企業《きぎょう》に勝てるチャンスがあるという専門家もいます。日本のお家芸といわれてきた「ものづくり」に特化したＡＩを開発し、巻き返しを図ろうとするプロジェクトも立ち上がっています。また前項《ぜんこう》でもふれましたが、日本は医療《いりょう》分野で世界有数のビッグデータをもっており、医療《いりょう》のＩＴ化においても期待されています。新しいアイデアが豊富で、革新的な事業へのモチベーションの高いＡＩエンジニアは、今後の日本、または世界で大いに活躍《かつやく》できる可能性があります。

3章

なるにはコース

失敗をくり返しながら新しいチャレンジをいとわない

AIエンジニアの先輩方《せんぱいがた》のエピソードから、AIエンジニアの人物像がだんだん見えてきたのではないでしょうか？　ここでは、インタビューに登場したみなさんの言葉から見えてきたAIエンジニアの適性や心構えをお伝えします。

AIエンジニアに向いているのはどんな人？

●課題を見つけて解決策を考えられる人

「実際に働いていていてどんなことに困っているかな、と日々探しています」（NEC森本《もりもと》さん）

AIエンジニアの仕事は、AIを手段にビジネスの課題を解決することです。課題を的確に提起するためには、問題解決のパターンの引き出しが多いに越したことはありません。ふだんからニュースや新聞、身のまわりのできごとにも目を光らせ、これはどうしてこう

なっていて、どうやったらもっとよくなるかを論理的に考えられる人に向いているといえそうです。ＡＩエンジニアの教育・育成現場でも、問題解決能力を養うことが重要視されています。

●好奇心《こうきしん》旺盛《おうせい》な人

「アタマの動きはかなり活発で、どんどん行きたがるタイプです」（N2《エヌツー》・i《アイ》徳住《とくすみ》さん）

ＡＩ技術は、10年先の姿を予見するのが難しいほど驚異的《きょういてき》なスピードで進化しています。日々の業務では、結果が予測できない課題に対し、トライアンドエラーのくり返しです。知的好奇心《こうきしん》が旺盛《おうせい》で新しいことへのチャレンジをいとわない人にはもってこいの領域といえるでしょう。またＡＩは知能がテーマなので、数学やプログラミングなどコアの分野だけではなく、心理学、脳科学《のうかがく》、言語学、哲学《てつがく》、動物行動学などいろいろな分野に興味をもち、知識を得ることで視野が広がり、活躍《かつやく》の場も広がるでしょう。

●向上心をもっている人

「最新技術のキャッチアップは大切。今の知識では10年も生きていけませんから」（N2i徳住さん）

加速度的に進歩するＡＩ領域は、５年後や10年後には今でいう自動車やインターネットのようにあたりまえの技術のひとつになっていてもおかしくありません。時代の変化にともないＡＩエンジニアに必要な知識やスキルも移り変わり、これさえもっていれば安心というスキルはありません。勉強をしなければといって取り組むのではなく、気になったことを調べたり試したりしているうちにスキルが身につくというのが理想です。ＡＩへの興味や関心に加え、新しいことを学ぶのが好きで目標をもって突《つ》き進《すす》める人に向いているでしょう。

●新しいものを創り出すことにわくわくできる人

「決まったものをつくるのではなく、どういうものをつくるか、アイデアを出す段階からたずさわれるのが醍醐味《だいごみ》です」（ＮＴＴ吉田《よしだ》さん）

ＡＩが人の仕事を代替《だいがえ》していく世の中で、人の役割は創造性だといわれています。今は

専門家が扱《あつか》うものというイメージが強いＡＩも、将来的にはプログラミングのように誰《だれ》もが扱《あつか》えるようになっていくといわれています。ＡＩという高度な技術を使うこと自体が大事なのではなく、どんな課題にアプローチしていくか、どんな使いやすいサービスをつくっていくかを考えることが本質です。そのような流れのなかで、既存《きぞん》のもので満足せず、オリジナルのものを生み出すセンスやモチベーションのある人は強いでしょう。

●相手の立場になって考えられる人

「お客さんの立場に立って考えてこそ、ＡＩがどう活躍《かつやく》できるかを考えられると思います」（ＮＥＣ森本さん）

ＡＩエンジニアとして、新しい技術を追い求めることは重要です。ただ、ＡＩは人に使われてはじめて価値が生まれます。使う人の立場になり、どのようにしたら使いやすいか、もっと効率をよくするにはどうすればいいかを常に考え、今ある技術に改良を重ねていくことも重要です。また、対話を通して使い手のニーズを正確に汲《く》み取《と》ることや、AIのことをよく知らないクライアントともスムーズに商談を進められるよう、どんな相手とも円《えん》滑《かつ》にコミュニケーションをとれることもポイントです。

●自分の立場に対して責任感が強い人

「人任せではなく、自分が目を配らせないと、社会実装《じっそう》まで進めません」（富《ふ》士《じ》通《つう》竹《たけ》内《うち》さん）

「人がやっていたことをAIでやる……産業を変えていくわけです」（アバナード古《ふる》屋《や》さん）

多くのAIプロジェクトは、さまざまな役割のメンバーでチームを組んで行います。メンバーとコミュニケーションを密にとりながら、細かな作業であっても人任せにしない責任感も大切です。またAIの社会での存在感は大きく、あらゆる産業にイノベーションをもたらす可能性を大きく秘めています。産業を変えていくという責任感をもって取り組む姿勢が求められるでしょう。

●粘《ねば》り強《づよ》く取り組める人

「ＡＩエンジニアの仕事は失敗のくり返しですが、あきらめずやり続け、わからなかったことが少しでもほぐれたときに喜びを感じます」（ＡＩ研究者松原《まつばら》さん）

与《あた》えられたタスクをスマートにこなすＡＩのイメージとは裏腹に、ＡＩエンジニアの仕事は地道な作業と試行錯誤《さくご》のくり返しです。先の見えない作業でも途中《とちゅう》で投げ出すことはできません。最後までやり遂《と》げる粘《ねば》り強《づよ》さは大いに活かされそうです。興味深いのは、お話をうかがったＡＩエンジニアの方やその同《どう》僚《りょう》の方々のなかに「5年日記を続けている」「毎日お弁当の写真を撮《と》っている」「収集癖《へき》がある」など、ひとつのことに執着《しゅうちゃく》して長く続ける人が多いということ。関連があるかわかりませんが、ふだんからマメな人が多い業界なのかもしれません。

●楽観的に考えられる人

「失敗したら忘れます。うじうじ考えてもどうにもならないですから。うまくいったら儲《もう》けものみたいに思っています」（ＮＴＴ吉田さん）

インタビューでみなさんが共通して語ってくれたのが、ＡＩの仕事は一筋縄《ひとすじなわ》にはいかず、失敗のくり返しだということです。そのような状況《じょうきょう》でも気持ちをうまく切《き》り替《か》え、前向きに考えることで、闇《やみ》を抜《ぬ》けていくのですね。ＡＩ研究者の松原さんは、自身の波乱万丈《ばんじょう》だったゲーム研究について、「現状についてはすべてうまくいかないほうに予測し悲観していたが、将来については過度に楽観的だったから、長年続けてくることができた」と話しています。ＡＩは倫理的《りんりてき》な面で厳しい意見もありますが、その将来を楽観視する専門家も大勢います。将来を楽観することが技術の進歩の原動力になっているのかもしれません。

必要な知識と学べる場所

専門知識やスキルは必要教育・養成機関は増えている

必要な知識

●数学

ＡＩのアルゴリズムには、数学の計算式が使われていることが多くあります。数学の知識があれば、アルゴリズムを理解し、新しいアルゴリズムを考えることもできます。微分《びぶん》、線形代数、ベクトル、行列、確率、統計（高校生から大学の教養レベルの内容）は、ＡＩエンジニアとしてのスキルを高めていくうえでメリットがあります。

●データサイエンス

データサイエンスは、データから何らかの情報や特徴《とくちょう》を見つけ出す学問です。ＡＩを使ってビッグデータを解析《かいせき》し、その結果をどのように課題の解決に結びつけるかを分析《ぶんせき》するために必要な知識です。また、膨大《ぼうだい》で性質もバラバラなビッグデータから必要な情報を取り出し、データベースとしてまとめ、ＡＩシステムに学習させる運用スキルも求められます。

●プログラミング

プログラミングスキルは、ＡＩを使ってシステム開発をするのに必要です。プログラミング言語は多くの種類がありますが、ＡＩ開発でもっともよく使われているのはPython（パイソン）です。Ｒ（アール）、Julia（ジュリア）、JavaScript（ジャバスクリプト）、C++（シープラスプラス）などの言語も使われ、それぞれに特徴《とくちょう》があります。

●機械学習

機械学習は今のＡＩの中核《ちゅうかく》技術です。そのさまざまな手法を理解していれば、新たなＡＩシステムを構築し、適切に活用できます。汎用性《はんようせい》の高い（さまざまな用途《ようと》で使えて便利なこと）機械学習のプログラムのまとまりを機械学習ライブラリといい、誰《だれ》でも自由に使えるライブラリが多くあります。これを使いこなすスキルも重要です。たとえば、画像処理を行いたいとき、自然言語処理を行いたいとき、それぞれの目的に応じたライブラリを使えれば効率よく開発に取り組めます。

●ビジネススキル

ビジネススキルは、仕事で高いパフォーマンスを発揮するための能力で、どんな社会人にも必要です。AIエンジニアは、AIをどのように用いるとビジネスの課題を解決できるのか、わかりやすく説明できるコンサルティングスキルが求められます。実際にコンサルタントやプロジェクトマネジャーとして社内外の多くの人とかかわることも多く、まわりと良好な関係を築ける対人スキルや対話スキルも重要です。

●論文を読んで理解する力

AIエンジニアは創造性が求められる仕事ですが、アイデアは無から生まれません。常に最新の情報を取り入れ、最新動向をつかんで知識を積み重ねていくことが大切です。書籍《しょせき》やインターネット上の記事など情報はあふれていますが、論文には査読という専門家がチェックする制度があるので信頼性《しんらいせい》が高く、これまでに知られていない情報を入手できます。

学べる場所

大きなニーズを背景に、AIエンジニアの教育・養成機関は増えてきています。これからはじめて就職する若い世代から、すでにIT関連のエンジニアとして働いている社会人まで幅広《はばひろ》い層を対象にしています。違《ちが》う業種の人が勉強し直して転職することもあるほどです。授業内容、期間、費用などさまざまな選択肢《せんたくし》から自分に合ったものを選べるのもこの分野の魅力《みりょく》です。

大学

新卒でＡＩエンジニアをめざす人にとっては、大学進学が王道といえるでしょう。大学は通常いくつかの学部からなり、それぞれの学部の下にいくつかの学科があります。ＡＩエンジニアの専門知識は、情報学部、データサイエンス学部、工学部、理工学部などにある情報学科で学べます。情報学科でなければならないわけではありませんが、ＡＩエンジニアという目的がはっきりしているならば情報学科が近道でしょう。同じ情報学科でも学部によって必修科目が異なり、その学部に特有の専門性を身につけることができます。

●情報学部、データサイエンス学部

情報学部は、情報伝達の仕組みや流れ、情報を軸《じく》に社会をデザインする技術を学ぶところです。文系と理系の両側面を学ぶことができる幅広《はばひろ》い分野です。データサイエンス学部も情報学部と似ていますが、近年注目のビッグデータを解析《かいせき》し、新たな価値やイノベーションを生み出すビジネス力を学べると強調している学校が多いです。２０１７年に日本初のデータサイエンス学部が誕生《たんじょう》してから全国で急増中で、しばらく新設の動きが続きそう

図表8 AIエンジニアの教育養成機関

学べるところ	対象者	期間	おおよその費用
大学	高校卒業	4年	国公立：80万円* 私立：150万円*
大学院	大学卒業	修士：2年 博士：3年	国公立：80万円* 私立：110万円*
専門職大学	高校卒業	4年	170万円*
高等専門学校	中学卒業	5年	32万円*
専門学校	中学卒業	1～4年	120万円*
社会人向け講座	実務経験のある社会人	1日～数カ月	無料～数十万円
オンラインプログラム	誰でも	1日～	無料～

＊初年度にかかる平均的な費用。学校によって違いがあります。

です。

◇例——滋賀《しが》大学データサイエンス学部、横浜市立《よこはましりつ》大学データサイエンス学部、武蔵野《むさしの》大学データサイエンス学部、名古屋《なごや》大学情報学部、広島《ひろしま》大学情報科学部情報科学科など。

●工学部

工学部は、科学の知識を応用して生活に役立つものをつくる方法を学ぶところです。工学部内の情報学科は、システム学、システム工学という名称を使う大学も多くあります。

◇例——大阪《おおさか》大学基礎《きそ》工学部システム科学科、大阪工業《おおさかこうぎょう》大学ロボティクス&デザイン工学部、筑波大学工学システム学類、九州工業《きゅうしゅうこうぎょう》大学情報工学部など。

●理工学部

理工学部は、理学と工学の両方を学べるところです。理学は自然界の法則や仕組みを探求する学問で、その理論をものづくりなどに応用する技術を学べるのが理工学部です。

◇例――慶應義塾《けいおうぎじゅく》大学 理工学部情報工学科、立命館《りつめいかん》大学 情報理工学部など。

●学部を問わずＡＩについて学べる大学

情報学科ではなくてもＡＩについて学べる大学は多くあります。２０１７年、北海道《ほっかいどう》大学、東京《とうきょう》大学、滋賀大学、京都《きょうと》大学、大阪大学、九州大学の６つの国立大学は、数理・データサイエンス教育強化拠点《きょてん》コンソーシアムを立ち上げ、理系・文系にかかわらず、データサイエンスを学べる取り組みを始めました（図表９）。その取り組みは、全国の大学へも広がっていくようです。

ＡＩについての科目を、理系、文系を問わず全学生の必修科目にする大学も出てきています。政府が発表したＡＩ戦略２０１９には、２０２２年までに全大学生にＡＩリテラシー教育を受けられるしくみを構築するという目標もあります。ＡＩ科目の必修化は広まっていくでしょう。

図表9 数理・データサイエンス教育強化拠点コンソーシアムの全学部対象の取り組み（文系を含む）

北海道大学	3つのレベルの数理・データサイエンス教育プログラム（一般、専門、実践）を提供。専門、実践プログラムは修了証が発行される
東京大学	数理・データサイエンス分野の150以上の科目を提供。条件を満たせば修了証が発行される
滋賀大学	データサイエンス関連の科目を教養科目として提供。オンライン学習コンテンツを全国に配信中
京都大学	データサイエンス関連の科目を教養科目として提供。データサイエンススクール（自由参加型講義＋演習）では最前線の学びを提供
大阪大学	数理・データ分野の基礎から応用を系統的に学べるプログラムを提供
九州大学	文系学部生にも情報系科目を提供

大学院

学部で学んだ後、専門性をより深められるのが大学院です。実際に、理系学生の多くが大学院の修士課程に進みます。学部は勉強がメインですが、大学院は研究がメインです。情報学、工学、理工学系の研究科で関心のある研究室に所属し、研究を通して専門性を身につけます。

ＡＩ関連の大学研究室は国内に約３００あり、さらに増えています。ほとんどの研究室は各自のホームページで研究内容を紹《しょう》介《かい》しているので、進路を決めるさいの有用な情報になるでしょう。２０２０年には、日本初のＡＩに特化した大学院が立教《りっきょう》大学に開設される予定です。

◇ＡＩ関連の研究室については、ＡＩ情報サイトAINOWの一覧情報がお勧《すす》め（https://ainow.ai/）。

専門職大学

専門職大学は、２０１９年４月から始まった新しいタイプの大学制度です。大学よりも実習や実技が多く、卒業すると学士の学位を取得できる、大学と専門学校のメリットを組み合わせたような学校です。数はまだ少ないですが、開学予定の学校も増えており、今後の動向に注目です。

◇例――東京国際工科《とうきょうこくさいこうか》専門職大学 工科学部情報工学科、開志《かいし》専門職大学 情報学部情報学科（どちらも２０２０年４月から）。

高等専門学校（高専）

中学校卒業後の5年間で、専門的な知識や技術を（一般《いっぱん》科目も学びながら）身に付けます。現在全国に57校あり、多くが国立校です。機械、電気、情報などものづくりエンジニアの育成に力を入れていて、卒業生のほとんどが専攻科《せんこうか》に進学するか大学に編入します。高専出身者の評価は高く、ＡＩ分野では高専生によるDCON（ディープラーニングコンテスト）で企業《きぎょう》評価額４億円のＡＩビジネスを提案するなど、日本のＡＩ分野のリード役として大きく期待されています。
◇例——長岡《ながおか》工業《こうぎょう》高専（新潟《にいがた》）、香川《かがわ》高専（香川）、沼津《ぬまづ》工業《こうぎょう》高専（静岡《しずおか》）、沖縄《おきなわ》工業《こうぎょう》高専（沖縄）など（２０１９年DCON上位校）。

専門学校

専門学校は、大学で学ぶ一般《いっぱん》教養科目はなく、ＡＩエンジニアに直結する内容を集中的に学べるのが魅力《みりょく》です。学ぶ期間が１年以上とされていますが、実際は２〜３年制が多く、なかには４年制の学校もあります。２〜３年制の修了者《しゅうりょうしゃ》は専門士となり大学への編入が可能に、４年制の修了者《しゅうりょうしゃ》は高度専門士となり大学院への編入が可能になります。

ＡＩ分野の専門学校は増えています。現場で活躍中《かつやくちゅう》の講師が教えている、資格取得のサポートが受けられる、企業《きぎょう》と連携《れんけい》しているなど、学校ごとの特色も要チェックです。職業に直結している分、他分野への方向転換《てんかん》は難しいので、目的意識がはっきりした人に向いています。

図表10 社会人向けの人工知能講座 ※最新の情報はホームページでご確認ください

	提供・認定者	期間	費用	形式
実データで学ぶ人工知能講座	東京大学、大阪大学（NEDO*の委託）	4～6カ月	無料	通学
「人を知る」人工知能講座（全7セッション選択制）	京都大学	1カ月（1セッション）	50万円（1セッション）	通学
第四次産業革命スキル習得講座（2019年時点で56講座）	経済産業省認定スクール、企業	数日～数カ月	数万～数十万円**	通学
スマートエスイー（Smart SE）	早稲田大学、その他大学、企業	6カ月	55万円**	通学
JDLA認定プログラム（2019年時点で13講座）	JDLA***認定スクール、大学院	約10回クラス計20～40時間	10～数十万円	通学 オンライン

*国立研究開発法人 新エネルギー・産業技術総合開発機構
**厚生労働省の教育訓練給付制度で受講料の一部が補助されるものもあります
***日本ディープラーニング協会

社会人向け講座

主に働く社会人を対象にしたＡＩエンジニアの教育プログラムも充実《じゅうじつ》しており、今後も増えそうです。数日から数カ月で集中的に学び、即戦力《そくせんりょく》をつける目的のものが多くあります。図表10に大学が提供するものや認定を受けている講座から一部を紹介《しょうかい》します。

オンラインプログラム

テキストや動画、インタラクティブな教材（ＰＣ画面上で問題と解答のやりとりなどを行う）を使い、質問や相談、就職サポートも行うなど、特色あるプログラムが多くあります。無料のものもあり、有料でも1コース当たり、月額数千円程度と比較的《ひかくてき》低額です。目的によって、特定の科目だけを選べるのも魅力《みりょく》です。

ＡＩに特化したプログラムで認知度の高いものをあげると、ＡＩアカデミーは２００種類以上の学習コンテンツから目的にあったコースを選べます。Aidemy（アイデミー）はブラウザ上でプログラミング演習ができるのが特徴《とくちょう》です。Coursera（コーセラ）は、世界の一流大学や企業《きぎょう》の講義を動画で配信しています。ＡＩ分野も多く、課題やテストを提出して修了証《しゅうりょうしょう》や学位も取得できます。言語は英語ですが、日本語字幕がつくものもあります。スタンフォード大学のアンドリュー・エン教授の機械学習のコースは有名で、世界中のＡＩエンジニアが講義を受けています。

※最新の情報では、選択肢が増えているので、インターネットなどでご確認ください（２０２３年追記）。

就職の実際

活発に採用されていて、業種も働き方も、選択肢は幅広い

採用までのリアルな道のり

インタビューに登場したＡＩエンジニアの方々の経験から、採用までの道のりを３つのパターンに分けて見ていきましょう。

①理系大学院から新卒採用

理系の大学院から新卒で入社する、王道ともいえるパターンです。数学、統計、コンピュータサイエンスなど情報関連の専門知識を学び、働きながらＡＩエンジニアのスキルを身につけていきます。ＮＥＣの森本さんは、ＡＩについての専門的なことは入社後に学んだといいます。ＮＴＴの吉田さんは、大学院で行っていた研究をさらに深められる研究所に配属されました。

②エンジニアから転職・社内異動

ＩＴ関連のエンジニアから社内異動や転職によりＡＩエンジニアになるパターンです。たとえば富士通の竹内さんの場合は、システムエンジニアとして入社し経験を積み重ね、データサイエンス分野でスキルアップを図り、ＡＩ関連の部署に異動しました。アバナードの古屋さんの場合は、ＩＴ関連の会社からエンジニアとして転職した先の会社でＡＩプロジェクトに配属され、ＡＩ開発を担当しています。

③未経験からポテンシャル採用

エンジニアとしての教育や実務経験がない場合でも、その後のポテンシャル（仕事での成長の可能性）を見込《みこ》まれ採用されるチャンスはあります。Ｎ２ｉの徳住さんは、理系大学院の博士《はくし》課程を中途《ちゅうと》退学後、独学でプログラミングや機械学習を学び、スタートアップ企業《きぎょう》にＡＩエンジニアとして採用されました。社内では「経験は浅いけれど、最新の論文を読んで新しいことにどんどんチャレンジしている」と、業務への姿勢が高く評価されていました。

ＡＩエンジニアの需要は？

実例から三つのパターンを紹介《しょうかい》してきましたが、ＡＩエンジニアの就職をとりまく状況《じょうきょう》は刻々と変化しています。インタビューに登場したＡＩエンジニアのみなさんがキャリアをスタートしたのは数年から十年ほど前。ＡＩという言葉がまだ社会に定着する前のことです。今の状況《じょうきょう》について、まず需要から見ていきましょう。

企業《きぎょう》は優秀《ゆうしゅう》なＡＩエンジニアを求めている

２章の「ＡＩエンジニアの将来」（１０５ページ）でもふれましたが、ＡＩエンジニアは世界を見ても日本を見ても、深刻な不足状態です。ある調査では、ＡＩを導入する企業《きぎょう》の７割以上が人材不足と回答しています。また、企業《きぎょう》の９割以上でＡＩ人材を求めているとの別の調査結果もあります。２、３年前までは、ＡＩを導入して効果があるかをテストする段階にある企業《きぎょう》が大多数でしたが、そのようなテスト段階を経て、実際のビジネスにＡＩを活用する企業《きぎょう》が増え始めたため、ＡＩエンジニア不足が起きていると考えられます。そのうえで企業《きぎょう》が重要視するのは、自社がもつデータを分析《ぶんせき》し、社内の課題の解決や成長戦略に役立てることです。このようなニーズに応えられる優秀《ゆうしゅう》なＡＩエンジニアを確保することは、企業《きぎょう》にとってとても大切なことなのです。

新卒も中途《ちゅうと》も、採用活動は活発

ところが、高まる需要に対して企業《きぎょう》が求めるＡＩエンジニアの数は圧倒的《あっとうてき》に少ないのが現状です。新しい分野であるうえに、養成機関が限られているからです。希少なＡＩエンジニアが引く手あまたであるのはもちろん、見込《みこ》みのある新卒者やＩＴ関連のエンジニアからの転職者の採用活動も活発化しています。ＡＩエンジニアは高度なスキルを要するため、誰《だれ》でもなれるというわけではありません。しかし、十分な知識やスキルをもっていれば、希望をもって就職活動に挑《いど》めるでしょう。

ＡＩエンジニアが必要とされる業種

●情報通信業

ＡＩエンジニアをもっとも求めている業界は情報通信業です。日経コンピュータが2018年に行った調査によると、大手ＩＴ企業《きぎょう》では数百〜数千人のＡＩ人材が不足しているという結果が出ています。ＩＴ企業《きぎょう》では、自社でＡＩシステムを開発したり、ＡＩを活用したサービスを他社に提供する業務が行われています。優秀《ゆうしゅう》な人材を獲得《かくとく》するために、ＡＩ分野ですぐれた大学研究室と連携《れんけい》する動きもあるようです。

●ものづくり産業

自動車や電気機器などのものづくり産業（製造業）でも、ＡＩ人材の獲得《かくとく》に力を入れています。自動車産業では自動運転の研究開発にＡＩ技術は欠かせません。工場やサプライチェーン（製品が原料の段階から消費者に届くまでの流れ）の効率化にもＡＩがますます活用されてきています。ＡＩエンジニアの増員を目標に掲《かか》げている企業《きぎょう》もあります。

●その他の産業でも需要は伸《の》びている

ＡＩエンジニアの活躍《かつやく》の場は、情報通信業やものづくり産業ばかりではありません。金《きん》融業《ゆうぎょう》、不動産業、運輸業、農業、漁業、医療《いりょう》、防災などはほんの一部の例に過ぎません。ＡＩを活用する産業は急速に増えていて、その事例は産業の数または企業《きぎょう》の数だけあるといっても過言ではないほどです。

ＡＩエンジニアの勤務先

●大手企業《きぎょう》

本書のインタビューを通して大手企業《きぎょう》３社を取材しましたが、ハイレベルな環境《かんきょう》や整ったスキルアップ制度で、個人の能力を伸ばすことができるという印象を受けました。ＮＥＣの森本さんは、社内に日本でも屈指《くっし》のＡＩエンジニアがいて、刺激《しげき》を受けるといいます。大《だい》企業《きぎょう》は優秀《ゆうしゅう》な人材を雇用《こよう》しやすく、全体のレベルアップも期待できます。ＮＴＴの吉田さんは、研究所をもつ企業《きぎょう》は最先端《さいせんたん》の研究に打《う》ち込《こ》める環境《かんきょう》や、開発にもたずさわれる点

図表11 勤務先別に見た職場環境や業務の特徴

大手企業	ハイレベルな環境 スキルアップ制度が整っている
スタートアップ企業・ベンチャー企業	個人の能力が評価されやすい 幅広い経験ができる
大学・研究機関	知的好奇心を満たすことができる 常に新しい技術や情報にふれることができる

が魅力《みりょく》だといいます。富士通の竹内さんは、スキルアップのための1年間の海外留学制度や、希望制の異動制度でAIエンジニアへの転身ができる環境《かんきょう》に満足していました。

●スタートアップ企業《きぎょう》・ベンチャー企業《きぎょう》

AI分野では、スタートアップ企業《きぎょう》やベンチャー企業《きぎょう》がつぎつぎと誕生《たんじょう》しています。スタートアップ企業《きぎょう》は短期間でイノベーションを起こして新しい市場を開拓《かいたく》する企業《きぎょう》、ベンチャー企《き》業《ぎょう》は長期間で新たな技術やサービスを展開する中小企業《きぎょう》のことです。ただし、両者にはっきりとした違《ちが》いはなく、個人の能力が評価されやすい、経験面で成長できる、といった点でも似ています。資金面で潤沢《じゅんたく》な企業《きぎょう》ばかりではありませんが、AI分野では数億円規模の資金調達をする例や、大手企業《きぎょう》と連携《れんけい》する例も増えているようです。

本書ではスタートアップ企業《きぎょう》であるN2iの徳住さんを取材しました。名古屋という地域柄《ちいきがら》から製造業にたずさわることが多いため、いくつもの企業《きぎょう》とかかわっていくことで幅広《はばひろ》い知識を身につけられるといいます。また創業メンバーとして会社の立ち上げにたずさわった経験も、今後のキャリアにプラスになるといえそうです。

●大学研究室・研究機関

ＡＩ分野の大学研究室は増えていて、日本全国で約３００あるといわれています。国の研究機関では、産業技術総合研究所《さんぎょうぎじゅつそうごうけんきゅうじょ》、理化学研究所《りこうがくけんきゅうじょ》、情報通信研究機構《じょうほうつうしんけんきゅうきこう》が日本のＡＩ研究をリードしています。企業《きぎょう》の研究所は修士の採用が多いですが、大学や公的研究機関は博《はく》士《し》の採用が大多数です。本書で取材した研究者の松原さんは、国の研究機関ではゲーム研究でＡＩ技術の進展に貢献《こうけん》し、大学では地域に特化した研究で地域課題の解決に尽力《じんりょく》するなど、研究者が非常に価値のある職業だということを印象づけてくれました。

一般《いっぱん》に、研究者はポスドク（ポストドクターの略）という給与《きゅうよ》や待遇《たいぐう》の限られた研究員からスタートし、正規の研究員の職を得て徐々《じょじょ》にステップアップしていきます。しかし、ポスドクの受け入れ先は十分ではなく、社会問題にもなっています。職を得ても、数年の期限つきであることが多く、研究者をとりまく環境《かんきょう》が整備されることが期待されます。

ＡＩエンジニアの雇用《こよう》のタイプ

ほかの職種と同じように、正社員、契約《けいやく》社員、派遣《はけん》社員、フリーランスといった働き方があります。この本のインタビューに登場したＡＩエンジニアは全員正社員でしたが、ＩＴ業界では個人の技術力や経験が重視される傾向《けいこう》があり、正社員以外の求人も多くあります。エンジニアに特化した派遣《はけん》会社や、フリーランスエンジニアと企業《きぎょう》を結ぶマッチングサイトも数多く存在し、個人のライフスタイルにあった働き方の選択《せんたく》がしやすくなっています。正社員は待遇《たいぐう》がよく安定しているといわれますが、近年では働き方改革も提唱され、多様な働き方との格差がなくなることが期待されています。

雇用《こよう》とはいえませんが、大学生が企業《きぎょう》などで就業体験をするインターンシップもＡＩエンジニアとして働く機会のひとつです。１日から数日間のものが多いですが、なかには数カ月から数年間をかけて実務力をつけられるものもあります。形式は見学型や実践《じっせん》型《がた》などさまざまで、有給のものもあります。その後の雇用《こよう》には直結しないといわれますが、企業《きぎょう》や業界の状況《じょうきょう》を知ることができ、現場の生の声も聞けるので、上手《じょうず》に利用するとよいでしょう。学生のインターンシップへの参加を推奨《すいしょう》する大学も多いようです。

AIエンジニアの関連資格や検定

必須資格はないが、もっていて損はない

ＡＩエンジニアに関連する資格は、日本《にほん》ディープラーニング協会《きょうかい》が認定するＧ検定、Ｅ資格、日本《にほん》統計学会《とうけいがっかい》による統計検定1～4級、データサイエンス基礎《きそ》／発展／応用、Python エンジニア育成推進協会《いくせいすいしんきょうかい》による Python3 エンジニア認定基礎《きそ》／データ分析《ぶんせき》試験、CG-ARTS 協会による画像処理エンジニア検定などがあります。それぞれが特定の分野に焦点《しょうてん》を絞った特徴《とくちょう》ある試験です。ＡＩエンジニアを含《ふく》め高度なＩＴスキルを身につけた人材が求められる近年、ＡＩ関連の資格試験は増えています。今後実施《じっし》予定のものも含《ふく》めて紹介《しょうかい》します。

日本ディープラーニング協会（ＪＤＬＡ）

●Ｇ（ジェネラリスト）検定

G検定は、ディープラーニングを事業に活かすための知識を問う試験です。２０１７年12月から始められた比較的《ひかくてき》新しい試験で、ＡＩ、機械学習、ディープラーニングに関する基礎的《きそてき》な内容が問われます。プログラミングやコーディングなど開発能力を問う問題は含《ふく》まれないので、ＡＩエンジニアへの入り口またはＡＩプランナー向けといえるでしょう。ミニドキュメントに登場したＮ２ｉの徳住さんは、今の職場に入社する前に取得したと話していました。

●E（エンジニア）資格

E資格は、ディープラーニングを実装《じっそう》するエンジニアの技能を認定する試験です。２０１９年に始まったばかりの新しい試験で、２０１９年内に2回実施《じっし》され、１０００名弱が合格しています。試験の内容は、ＡＩの基礎《きそ》知識に加え、応用数学、機械学習、ディープラーニングを応用したモデルの構築、Pythonを使ったプログラミングまで幅広《はばひろ》く、G検定より高い難易度です。また、受験するためにはＪＤＬＡ認定プログラムを修了《しゅうりょう》している必要があり、時間もコストもかかるので計画的な試験準備や対策が必要です。

ＪＤＬＡ認定プログラムとはＪＤＬＡが「ディープラーニングの理論を理解し、実践《じっせん》力を習得できる」と認めたプログラムです。２０２０年1月現在、12の民間プログラムが認定されています。通学またはオンライン形式があります。学習時間や費用はプログラムによってばらつきがあります。協会は認定プログラムを随時《ずいじ》追加しており、最新の情報は協会の公式サイトで公開されています。

日本統計協会

●統計検定 1～4級

統計検定は、統計に関する知識や活用力を評価する全国統一試験です。2011年に始まり、小学生からビジネスパーソンまで幅広《はばひろ》い層が受験しています。本書のインタビューでは、AIエンジニアをめざすなら少なくとも大学1～2年レベルの数学知識があるとよいという声がありましたが、統計検定2級以上がそれに当たります。実際のビジネスに役立つスキルとして注目されています。

●データサイエンス基礎《きそ》／発展／エキスパート

2020年の春ごろからは、データサイエンス分野の試験も本格的に始まる予定です。「データサイエンス基礎《きそ》」は、AI・デジタル社会で求められるデータ分析力《ぶんせきりょく》を評価する試験です。データから目的にあった方法で解析《かいせき》し、問題解決のために結果を解釈する力が試されます。公式サイトによると、高校レベルの数学や情報科学が関係するようです。これを踏《ふ》まえ、2021年以降に始まる予定の「データサイエンス発展」は大学教養レベル、

図表12 統計検定（1～4級）とデータサイエンス基礎／発展／エキスパート

試験の種別	試験内容
1級	実社会のさまざまな分野でのデータ解析を運行する統計専門力
準1級	統計学の活用力――データサイエンスの基礎
2級	大学基礎統計学の知識と問題解決力
3級	データの分析において重要な概念を身につけ、身近な問題に活かす力
4級	データや表・グラフ、確率に関する基本的な知識と具体的な文脈のなかでの活用力
データサイエンス基礎	具体的なデータセットをコンピュータ上に提示して、分析目的に応じて、解析手法を選択し、表計算ソフトExcelによるデータの前処理から解析の実践、出力から適切な情報を読み取り、当初の問題の解決のための解釈を行う一連の能力
データサイエンス発展	数理、計算、統計、倫理に関する大学教養レベルの内容
データサイエンスエキスパート	計算、統計、モデリング、領域知識に関する大学専門レベルの内容

（「統計検定」公式サイトより作成）

「データサイエンス応用」は大学専門レベルの内容が問われるようです。

Pythonエンジニア育成推進協会

●Python3エンジニア認定 基礎《きそ》試験／データ分析《ぶんせき》試験

Python3エンジニア認定試験は、プログラム言語Python（パイソン）の理解度を図る試験です。Pythonは AI開発を含《ふく》むさまざまな分野で使用されています。2017年に始まった「基礎《きそ》試験」は、Pythonの基本的な知識や、提示されたPythonのコードからどのようなデータが出力されるかといった問題が出題されます。「データ分析《ぶんせき》試験」はPythonを使ったデータ分析《ぶんせき》の基礎《きそ》や方法についての試験で、2020年春から本格的に始まる予定です。データ分析《ぶんせき》の実践力《じっせんりょく》が特に重要視されているようです。

どちらの試験も認定テキストからの出題なので、学習方法が明確です。また、協会が認定するスクールのなかには模擬《もぎ》試験を無料でオンライン公開しているところもあるので、出題傾向《けいこう》をチェックしてみるといいでしょう。

CG-ARTS協会（画像情報教育振興協会《がぞうじょうほうきょういくしんこうきょうかい》）

●画像処理エンジニア検定 ベーシック／エキスパート

図表13 画像処理エンジニア検定

試験の種別	試験内容
ベーシック	ディジタルカメラモデル／画像の濃淡変換とフィルタリング処理／画像の解析／パターン・特徴の検出とパターン認識／システムと規格／関連知識
エキスパート	ディジタル画像の撮影／画像の性質と色空間／画素ごとの濃淡変換／フィルタリング処理と復元・生成／幾何学的変換／領域、パターン、図形の検出とマッチング、認識／動画像処理、空間情報処理、光学的解析／画像符号化／知的財産権

（「画像処理エンジニア検定」公式サイトより作成）

画像処理エンジニア検定は、エンジニアが画像処理技術を使った開発や設計をするときに求められるスキルを評価する試験です。「ベーシック」は画像処理技術に関する基本的な知識や、知識をプログラミングに応用する能力を図ります。「エキスパート」は画像処理技術の専門的な理解や、ソフト・ハードウエア、システム開発に知識を応用する能力を図ります。

合格基準	合格率	受験料（税込）	開催頻度	受験地
非公表	70%強	一般 13,200円 学生 5,500円	年3回 （3、7、11月）	オンライン （自宅受験）
非公表	70%弱	一般 33,000円 学生 22,000円 会員 27,500円	年2回 （2、8月）	CBTセンター※1
非公表	15～25%	各 6,000円 両方 10,000円	年1回 （11月）	
非公表	20～30%	8,000円	年2回 （6、11月）	札幌、仙台、 東京23区内、 立川、松本、 名古屋、大阪、福岡※2
70%	40～45%	5,000円		
70%	60～70%	4,000円		
70%	60～75%	3,000円		
70%	未実施	未定	2020年 5月～	CBTセンター
70%			2021年 2月～	
60%			2021年 9月～	
70%	70%以上	一般 1,1000円 学生 5,500円	通年	CBTセンター
70%	未実施		2020 春～	
70%	60～70%	5,600円	年2回 （7、11月）	20都道府県 160会場 （2019年）
70%	30～40%	6,700円		

Based Testingの略。問題用紙やマークシートなどを使わず、コンピューター上で回答する方式のテスト。
センターでも受験できる。

図表14 AI関連の資格試験の概要一覧 ※最新の情報はインターネットなどでご確認ください

資格・検定名	回答形式	問題数	時間
日本ディープラーニング協会			
G資格	選択式	226問	120分
E資格	選択式	108問 (2019年9月)	120分
統計検定			
1級 ・統計数理 ・統計応用	論述式	各3問	各90分
準1級	選択式 部分記述式 論述式	(選) 20～30問 (部) 5～10問 (論) 1問	120分
2級	選択式	35問	90分
3級	選択式	30問	60分
4級	選択式	30問	60分
データサイエンス基礎	選択・ 回答入力式	大問7～10題 小問20～30問	60 or 90分
データサイエンス発展		30問	60分
データサイエンス応用		40問	90分
Python3エンジニア認定			
基礎試験	選択式	40問	60分
データ分析試験	選択式	40問	60分
画像処理エンジニア検定			
ベーシック	選択式	10問	60分
エキスパート	選択式	10問	80分

注釈）未実施のものは今後変更の可能性あり。
※1 CBTセンターは株式会社CBT-Solutionsが認定する試験会場。全国に約260カ所。CBTはComputer
※2 統計検定の6月の受験地は札幌、東京23区内、名古屋、大阪地域、福岡地域のみ。2、3級のみCBT
※統計検定の合格率は2016～2019年。

AIエンジニアQ&A

数学が苦手、英語は必要？疑問や悩みに答えます

Q．ほかのITエンジニアとの違《ちが》いは？

ＩＴエンジニアは、ＩＴ（情報技術）にかかわる技術者の総称です。一般的《いっぱんてき》なＩＴエンジニアの仕事は、クライアントの要求をもとにつくられた企画書《きかくしょ》や仕様書に沿ってシステムを開発することです。プログラミングや情報システムに関する知識が求められます。一方、ＡＩエンジニアの仕事はＡＩにデータを学習させて分析を行い、課題を解決する方法を考案することです。プログラミングに加え、機械学習やデータサイエンスなどの知識も必要です。

Q．文系で数学が苦手でもAIエンジニアをめざせる？

ＡＩエンジニアの仕事は数学的な思考を求められることが多いので、大学の一般《いっぱん》教養レベルの数学の知識があることが理想です。一方、それほど数学の知識がなくてもＡＩシス

テムの開発ができるような仕組みも整い始めてきています。たとえば、数学に自信がなかったとしても機械学習の手法を学習してみて、必要に応じて数学の知識も補っていくというやり方があってもいいかもしれません。

また、プログラミングやデータサイエンスができる理系のエンジニアがいればＡＩプロジェクトがうまくいくというわけではありません。文系特有の知識や広い視野で物事を考える力は、さまざまな社会の課題を解決するために技術をどのように活用していくかを考えるときに活かされるのではないでしょうか。巻末のブックガイドで紹介《しょうかい》している『文系ＡＩ人材になる』でも、文系ＡＩ人材が理系ＡＩ人材の苦手分野をカバーすることで、ＡＩによる社会変化をリードしていこうと提案しています。

Q. 英語は必要？

ＡＩエンジニアになるために英語は必ずしも必要ではありませんが、身につけていて損はありません。というのも、世界の情報のほとんどは英語だからです。ＡＩに関する情報も同じ。論文などで得られる最新技術や動向、教育コンテンツなども、英語で発信されるものが圧倒的《あっとうてき》に多いです。日本以外の企業《きぎょう》への就職の機会も広がります。ＡＩエンジニアの年収は日本より海外のほうが高いのも事実です。実際のビジネスで使える実用的な英語の授業を行う大学も増えてきていますし、ＩＴ分野の留学プログラムもあるようです。

ＡＩを使った通訳や翻訳《ほんやく》サービスがあるじゃないか、と思った人もいるかもしれません。旅行などちょっとしたやりとりには十分かもしれませんが、ビジネスで求められる本当の信頼《しんらい》関係を築くのは難しいですよね。語学はすぐには身につきませんが、続けていれば必ず上達します。学ぶ過程で、外国の文化的な背景や歴史など多様な価値観を知ることもでき、語学以外に習得することもたくさんあります。

Q．女性AIエンジニアはどれくらい？　働きやすさは？

くわしい統計はありませんが、そもそもエンジニアという職につく女性は男性に比べて少数です。理系のイメージが強いので、理系の女性が少ない日本では仕方ないのかもしれません。しかし、スキルがあれば性別に関係なく活躍《かつやく》できる職業です。本書のインタビューではＮＥＣの森本さんが唯一《ゆいいつ》の女性でしたが、森本さんの職場では女性ＡＩエンジニアの比率は半数ほどで、違和感《いわかん》なく働けているとのことでした。

ＡＩは活用分野が広いので、ＡＩエンジニアも幅広《はばひろ》い視野や多様性が求められます。女性ならではの感性や感覚も活かせないはずがありません。たとえば美容やファッション、子育て支援《しえん》などでもＡＩの活用が始まっていますが、女性エンジニアがかかわることでより実用的なサービスが生まれそうではありませんか？

ＡＩエンジニアとしての経験を積んで実力をつければ、契約《けいやく》社員、派遣《はけん》社員、フリーラ

ンスといった働き方もあり、妊娠《にんしん》・出産・育児を迎《むか》えるなかでも自分にあった働き方の選択肢《せんたくし》を広げることができそうです。日本は女性が働きやすい環境《かんきょう》というにはまだ程遠いですが、将来のＡＩエンジニア女子が日本人女性の社会進出をリードしてくれることを著者個人としても期待しています。

Q. AIエンジニアはAIに仕事を奪《うば》われないの?

ＡＩエンジニアの仕事は、ＡＩを使って人間社会の課題を解決したり、新しい価値を生み出す方法を考えることです。かなり高度な創造性を必要とするので、今のＡＩにＡＩエンジニアの仕事はできません。

ただ、ＡＩエンジニアの役割は変わってくるかもしれません。今はＡＩを取《と》り扱《あつか》うために特別な知識やスキルが必要ですが、今後ＡＩエンジニアではなくてもＡＩを開発できる時代がやってくるといわれています。データを用意すれば自動的にＡＩモデルをつくる技術も出てきています。誰《だれ》もがＡＩをつくれるようになったらＡＩエンジニアの仕事内容は当然変わるでしょうし、新たな職業も登場するかもしれませんね。

フローチャート　AIエンジニア

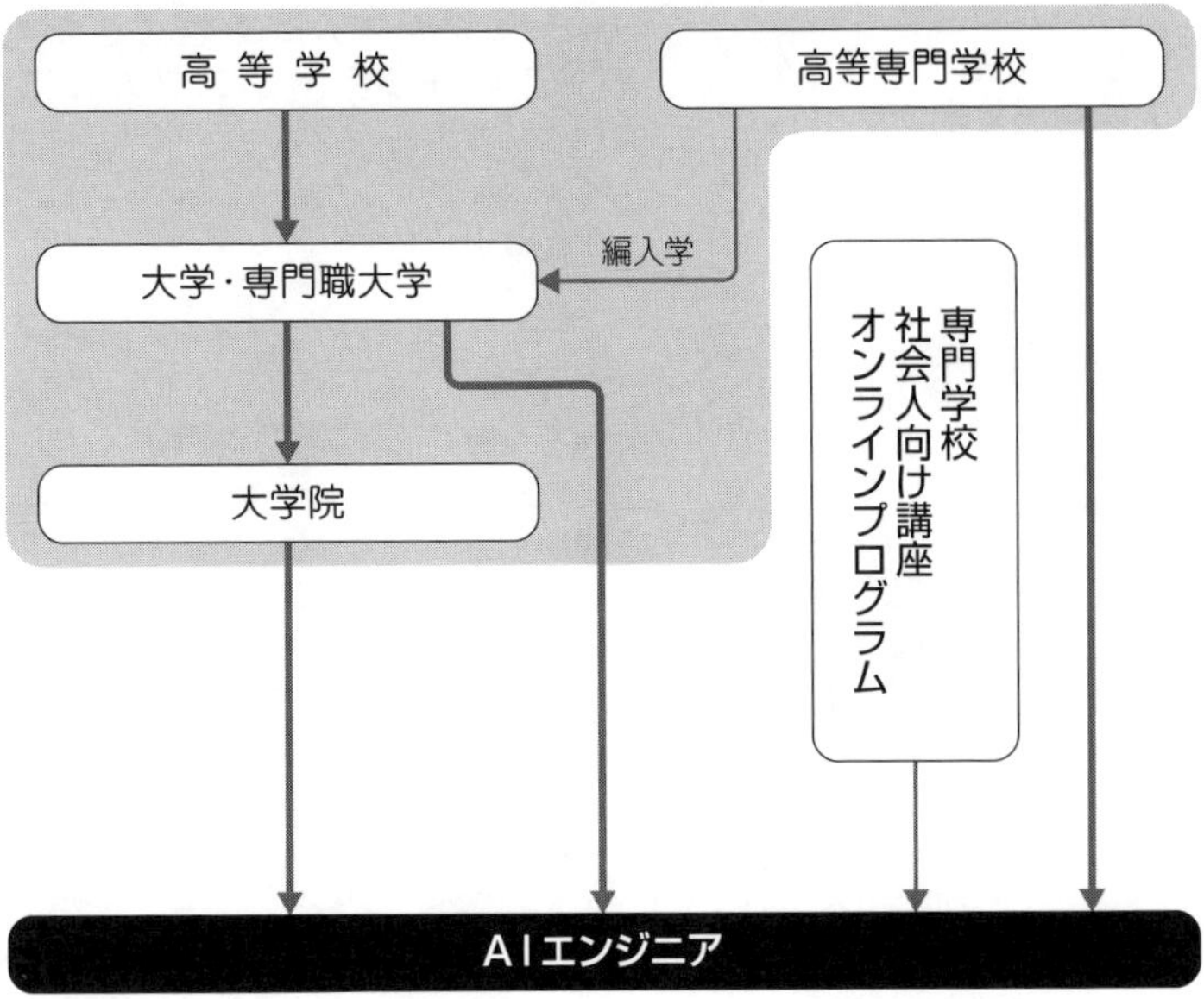

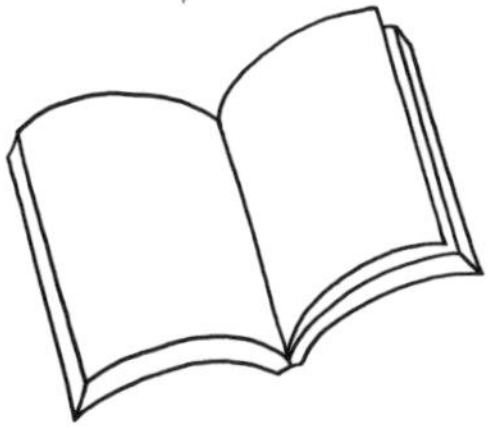

なるにはブックガイド

『人工知能は人間を超えるか—ディープラーニングの先にあるもの』

松尾豊＝著
KADOKAWA

AIの歴史から今後の課題や可能性まで全体像をつかめる入門書。AIもすごいが人もすごい。でもAIと人が競い合う意味はあるのか？　AI社会での人のあり方が見えてくる一冊。

『LIFE3.0 — 人工知能時代に人間であるということ』

マックス・テグマーク＝著
水谷淳＝訳
紀伊國屋書店

生命の誕生から始まったライフ1.0、ライフ2.0の進化の段階を経て、AI時代「ライフ3.0」を迎えつつある今。考えるべき課題に物理学でアプローチし、AIから力を得る社会への道筋を語る。

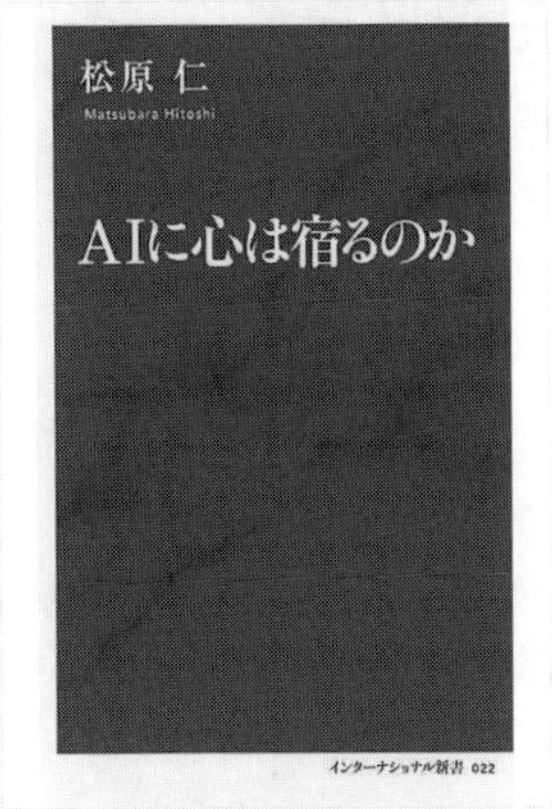

『AIに心は宿るのか』
松原仁＝著
集英社インターナショナル

AIに心が宿るかどうかは、人の心を考えると見えてくる。本書登場の松原仁さんの広い視野からの語り口は、説得力のなかに不思議と温かさがあります。将棋研究に捧げてきた松原さんと羽生善治氏の対談も必見！

『文系AI人材になる』
野口竜司＝著
東洋経済新報社

誰でもAI技術を使えるようになり、AIを「つくる」ことより「使いこなす」ことに課題がシフトしつつある現代。文系AI人材がAI社会を後押ししていく……そんな構図が見えてくる一冊。

職業MAP！ 興味があるのはどの仕事？

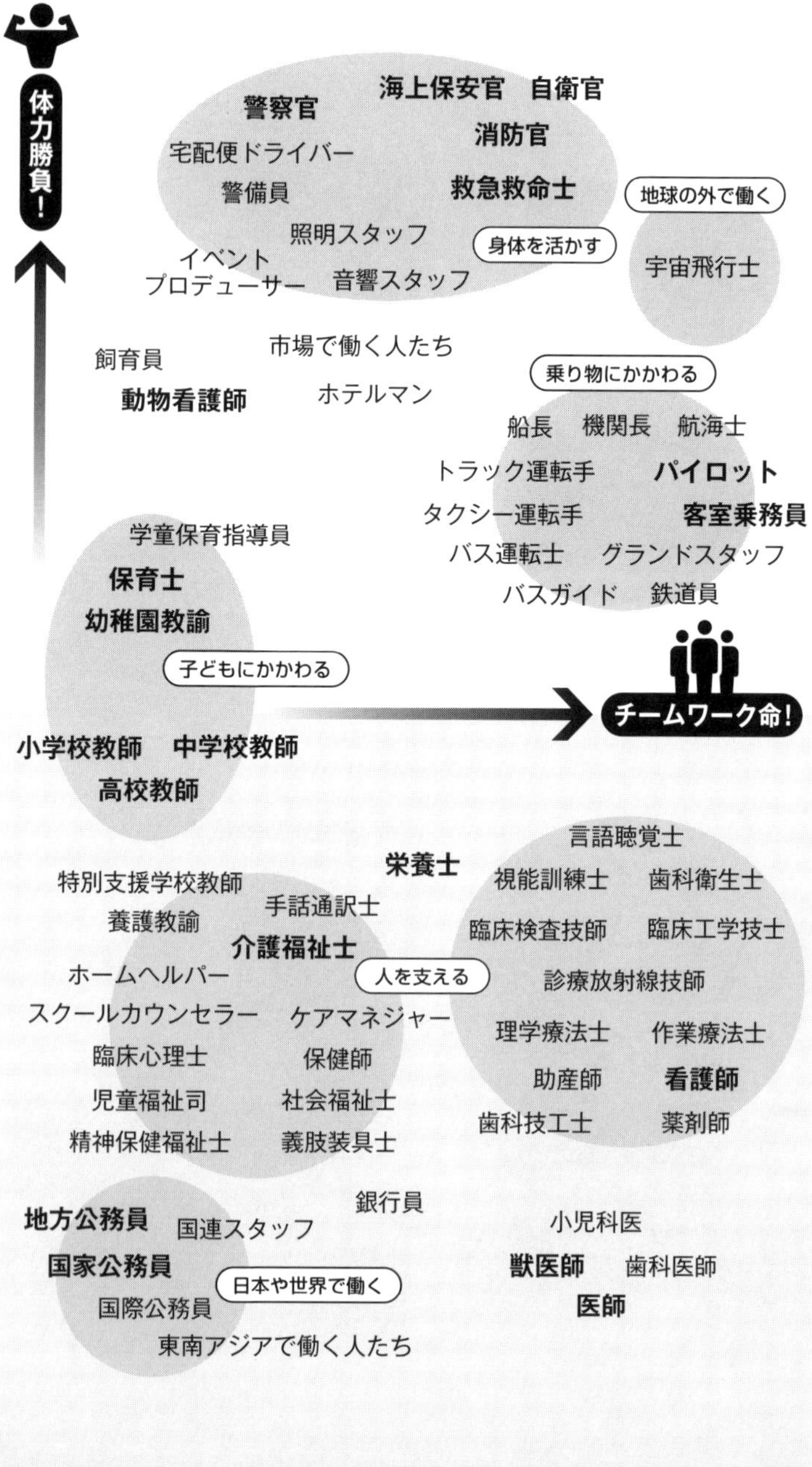

体力勝負！
チームワーク命！
警察官
海上保安官
自衛官
消防官
宅配便ドライバー
警備員
救急救命士
照明スタッフ
イベントプロデューサー
音響スタッフ
身体を活かす
地球の外で働く
宇宙飛行士
飼育員
動物看護師
市場で働く人たち
ホテルマン
乗り物にかかわる
船長
機関長
航海士
トラック運転手
パイロット
タクシー運転手
客室乗務員
バス運転士
グランドスタッフ
バスガイド
鉄道員
学童保育指導員
保育士
幼稚園教諭
子どもにかかわる
小学校教師
中学校教師
高校教師
言語聴覚士
栄養士
特別支援学校教師
視能訓練士
歯科衛生士
手話通訳士
養護教諭
臨床検査技師
臨床工学技士
介護福祉士
ホームヘルパー
人を支える
診療放射線技師
スクールカウンセラー
ケアマネジャー
理学療法士
作業療法士
臨床心理士
保健師
助産師
看護師
児童福祉司
社会福祉士
歯科技工士
薬剤師
精神保健福祉士
義肢装具士
銀行員
地方公務員
国連スタッフ
小児科医
国家公務員
獣医師
歯科医師
日本や世界で働く
国際公務員
医師
東南アジアで働く人たち

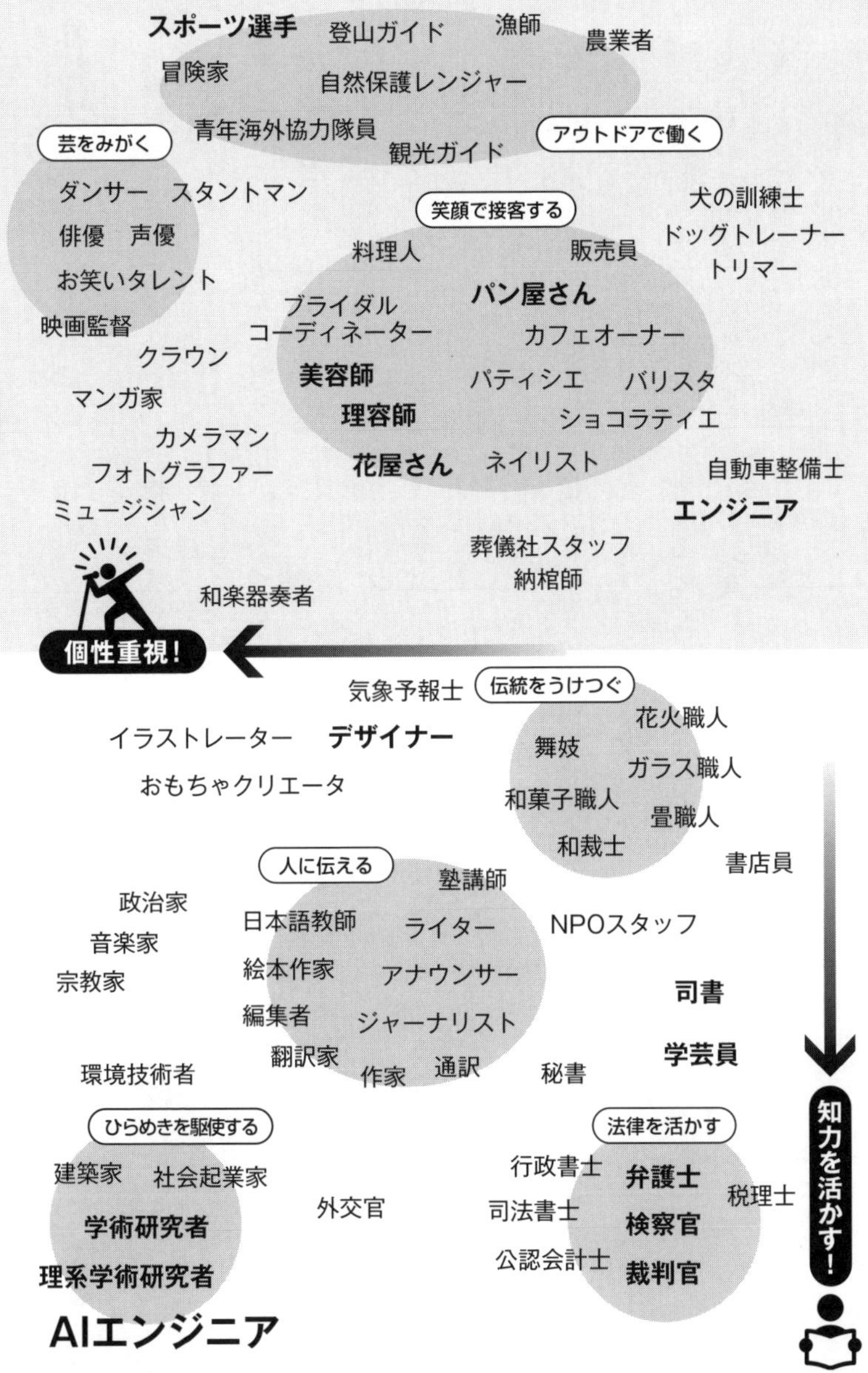
スポーツ選手
登山ガイド
漁師
農業者
冒険家
自然保護レンジャー
青年海外協力隊員
観光ガイド
アウトドアで働く
芸をみがく
ダンサー
スタントマン
俳優
声優
お笑いタレント
映画監督
クラウン
マンガ家
カメラマン
フォトグラファー
ミュージシャン
和楽器奏者
笑顔で接客する
犬の訓練士
ドッグトレーナー
トリマー
料理人
販売員
パン屋さん
ブライダルコーディネーター
カフェオーナー
美容師
パティシエ
バリスタ
理容師
ショコラティエ
花屋さん
ネイリスト
自動車整備士
エンジニア
葬儀社スタッフ
納棺師
個性重視!
気象予報士
伝統をうけつぐ
花火職人
舞妓
ガラス職人
和菓子職人
畳職人
和裁士
イラストレーター
デザイナー
おもちゃクリエータ
書店員
人に伝える
塾講師
政治家
日本語教師
ライター
NPOスタッフ
音楽家
宗教家
絵本作家
アナウンサー
司書
編集者
ジャーナリスト
翻訳家
通訳
作家
学芸員
環境技術者
秘書
ひらめきを駆使する
建築家
社会起業家
学術研究者
理系学術研究者
AIエンジニア
外交官
法律を活かす
行政書士
弁護士
税理士
司法書士
検察官
公認会計士
裁判官
知力を活かす!

おわりに

取材して、調査して、集めた情報を理解して、文章にする。その作業のくり返しでこの本ができました。もしこれをＡＩがやったとしたら、どんな本になったでしょう？　きっと私のように１年もかけることなく、あっという間に必要な情報を抜《ぬ》き出《だ》し、決められた構成通りにバシッと仕上げるのでしょう。もしかして、斬新《ざんしん》な切り口で読者をあっと驚《おどろ》かせるような仕《し》掛《か》けを施《ほどこ》してくれるかもしれません。

そんなＡＩライターに、人間ライターは怯《おび》えていくのでしょうか？　ＡＩライターをつくり育てるＡＩエンジニアを恨《うら》んでいくのでしょうか？　みなさんはどう思いますか？

私はそうではないと思います。

今、ＡＩが社会全体を変えようとしているのはまぎれもない事実です。ＡＩに乗っ取られると考えると恐《おそ》ろしいですが、ＡＩと人が手を取り合ってもっとよいものを生み出す、もっとよい社会を築いていく、と考えると将来が明るく見えてくる気がします。一部のＡＩ専門家が唱える「フレンドリーＡＩ（友好的なＡＩ）」の考え方には共感できるところが多いと思うのです。

この本を読み、ＡＩエンジニアになりたいと思ってくださった方には、フレンドリーＡ

Iのことを頭の片すみに置いてAIエンジニアへの道を歩んではしいと思います。AIエンジニアに魅力《みりょく》を感じなかった方も、これからAIが大きな影響力《えいきょうりょく》をもつ社会で生きていくことに変わりはありません。人として幸せに生き抜《いぬ》くことを考え始めるときが来ているのではないでしょうか。

最後に、この本の執筆《しっぴつ》にあたりお力添えくださったすべての方々に、心より感謝いたします。

丸山　恵

【参考図書】
『人工知能は人間を超えるか――ディープラーニングの先にあるもの』
松尾豊著、KADOKAWA
『Newton別冊 ゼロからわかる人工知能』ニュートンプレス
『Newton別冊 ゼロからわかる人工知能 仕事編』ニュートンプレス
『AI白書 2019』『AI白書 2020』独立行政法人情報処理推進機構 AI白書編集委員会編、KADOKAWA
『情報通信白書〈令和元年版〉ICT白書――進化するデジタル経済とその先にあるSociety 5.0』総務省編、日経印刷
『まるわかり！AI開発 2019 人材戦略』日経×TECH／日経コンピュータ編、日経BP

【参照ウェブサイト】
AIポータル／新エネルギー・産業技術総合開発機構（NEDO）
https://www.nedo.go.jp/activities/ZZJP2_100064.html
人工知能学会
https://www.ai-gakkai.or.jp/
日本ディープラーニング協会
https://www.jdla.org/
データサイエンティスト協会
https://www.datascientist.or.jp/
日本経済新聞
https://www.nikkei.com/technology/ai/
TED: Ideas worth spreading（卓越したアイデアを持つ人びとのプレゼンテーション動画サイト）
https://www.ted.com/
AINOW（AI関連のニュースや最新動向を発信する情報サイト）
https://ainow.ai/

[著者紹介]

丸山　恵（まるやま めぐみ）

科学コミュニケーター、サイエンスライター。
静岡県出身。東京農業大学応用生物科学部卒業、同大学院食品栄養学研究科修了後、ミシガン州立大学大学院でコミュニティーニュートリション（公衆栄養学）を学ぶ。科学館の科学コミュニケーターを経てフリーランスとなり、執筆やサイエンスワークショップなどを行う。「書けて話せる科学コミュニケーター」をめざして活動中。

AI《エーアイ》エンジニアになるには

2020年 7 月10日　初版第1刷発行
2023年 4 月25日　初版第3刷発行

著　者　丸山　恵
発行者　廣嶋武人
発行所　株式会社ぺりかん社
〒113-0033　東京都文京区本郷1-28-36
TEL 03-3814-8515（営業）
03-3814-8732（編集）
http://www.perikansha.co.jp/
印刷所　大盛印刷株式会社
製本所　鶴亀製本株式会社

ISBN978-4-8315-1560-5　Printed in Japan

＊「なるには BOOKS」シリーズは重版の際、最新の情報をもとに、データを更新しています。

【なるにはBOOKS】

税別価格 1170円〜1700円

❶――パイロット
❷――客室乗務員
❸――ファッションデザイナー
❹――冒険家
❺――美容師・理容師
❻――アナウンサー
❼――マンガ家
❽――船長・機関長
❾――映画監督
❿――通訳者・通訳ガイド
⓫――グラフィックデザイナー
⓬――医師
⓭――看護師
⓮――料理人
⓯――俳優
⓰――保育士
⓱――ジャーナリスト
⓲――エンジニア
⓳――司書
⓴――国家公務員
㉑――弁護士
㉒――工芸家
㉓――外交官
㉔――コンピュータ技術者
㉕――自動車整備士
㉖――鉄道員
㉗――学術研究者(人文・社会科学系)
㉘――公認会計士
㉙――小学校教諭
㉚――音楽家
㉛――フォトグラファー
㉜――建築技術者
㉝――作家
㉞――管理栄養士・栄養士
㉟――販売員・ファッションアドバイザー
㊱――政治家
㊲――環境専門家
㊳――印刷技術者
㊴――美術家
㊵――弁理士
㊶――編集者
㊷――陶芸家
㊸――秘書
㊹――商社マン
㊺――漁師
㊻――農業者
㊼――歯科衛生士・歯科技工士
㊽――警察官
㊾――伝統芸能家
㊿――鍼灸師・マッサージ師
51――青年海外協力隊員
52――広告マン
53――声優
54――スタイリスト
55――不動産鑑定士・宅地建物取引主任者
56――幼稚園教諭
57――ツアーコンダクター
58――薬剤師
59――インテリアコーディネーター
60――スポーツインストラクター
61――社会福祉士・精神保健福祉士
62――中小企業診断士
63――社会保険労務士
64――旅行業務取扱管理者
65――地方公務員
66――特別支援学校教諭
67――理学療法士
68――獣医師
69――インダストリアルデザイナー
70――グリーンコーディネーター
71――映像技術者
72――棋士
73――自然保護レンジャー
74――力士
75――宗教家
76――CGクリエータ
77――サイエンティスト
78――イベントプロデューサー
79――パン屋さん
80――翻訳家
81――臨床心理士
82――モデル
83――国際公務員
84――日本語教師
85――落語家
86――歯科医師
87――ホテルマン
88――消防官
89――中学校・高校教師
90――動物看護師
91――ドッグトレーナー・犬の訓練士
92――動物園飼育員・水族館飼育員
93――フードコーディネーター
94――シナリオライター・放送作家
95――ソムリエ・バーテンダー
96――お笑いタレント
97――作業療法士
98――通関士
99――杜氏
100――介護福祉士
101――ゲームクリエータ
102――マルチメディアクリエータ
103――ウェブクリエータ
104――花屋さん
105――保健師・養護教諭
106――税理士
107――司法書士
108――行政書士
109――宇宙飛行士
110――学芸員
111――アニメクリエータ
112――臨床検査技師
113――言語聴覚士
114――自衛官
115――ダンサー
116――ジョッキー・調教師
117――プロゴルファー
118――カフェオーナー・カフェスタッフ・バリスタ
119――イラストレーター
120――プロサッカー選手
121――海上保安官
122――競輪選手
123――建築家
124――おもちゃクリエータ
125――音響技術者
126――ロボット技術者
127――ブライダルコーディネーター
128――ミュージシャン
129――ケアマネジャー
130――検察官
131――レーシングドライバー
132――裁判官
133――プロ野球選手
134――パティシエ
135――ライター
136――トリマー
137――ネイリスト
138――社会起業家
139――絵本作家
140――銀行員
141――警備員・セキュリティスタッフ
142――観光ガイド
143――理系学術研究者
144――気象予報士・予報官
145――ビルメンテナンススタッフ
146――義肢装具士
147――助産師
148――グランドスタッフ
149――診療放射線技師
150――視能訓練士
151――バイオ技術者・研究者
152――救急救命士
153――臨床工学技士
154――講談師・浪曲師
155――AIエンジニア
156――アプリケーションエンジニア
157――土木技術者
158――化学技術者・研究者
159――航空宇宙エンジニア
160――医療事務スタッフ
補巻13 NPO法人で働く
補巻14 子どもと働く
補巻15 葬祭業界で働く
補巻16 アウトドアで働く
補巻17 イベントの仕事で働く
補巻18 東南アジアで働く
補巻19 魚市場で働く
補巻20 宇宙・天文で働く
補巻21 医薬品業界で働く
補巻22 スポーツで働く
補巻23 証券・保険業界で働く
補巻24 福祉業界で働く
補巻25 教育業界で働く
補巻26 ゲーム業界で働く
補巻27 アニメ業界で働く
補巻28 港で働く
教科と仕事 英語の時間(未刊)
教科と仕事 国語の時間(未刊)
教科と仕事 数学の時間
高校調べ 総合学科高校
高校調べ 農業科高校(未刊)
高校調べ 商業科高校(未刊)
―― 以降続刊 ――

※一部品切・改訂中です。 2023.04.